Rekomendacje

Nie znam drugiej książki, która w tak dogłębny i inspirujący sposób podchodziłaby do tematu nowotestamentowego proroctwa. Znam Wayne i Toma od 25 lat i mogę potwierdzić ich uczciwość i prorocze obdarowanie. Od ponad 20 lat regularnie organizuję spotkania połączone z posługą proroczą w kościele, w którym jestem pastorem, i muszę przyznać, że żadne z podejmowanych przez nas działań nie wpływa tak pozytywnie na życie naszych liderów. Ta książka mierzy się z każdym aspektem służby proroczej, rysuje jej tło i wyjaśnia teologiczne podstawy. Bóg wciąż dzisiaj mówi i powinniśmy usłyszeć to, co ma do powiedzenia! Każdy, kto interesuje się biblijnym zrozumieniem i praktycznym zastosowaniem darów duchowych, powinien przeczytać tę książkę.

Clarck Whitten
Pastor Przełożony
Grace Church, Orlando, Floryda, USA

Kościół potrzebuje dziś żywego słowa od Boga. My wszyscy jako Kościół otrzymaliśmy wielkie zadanie, by niewidzialne Królestwo Boga uczynić widzialnym dla świata. Tom Lane i Wayne Drain w praktyczny i biblijny sposób przedstawili, jak niezwykłą wartość ma służba prorocka dla Kościoła, i pokazali, że ludzie niezwiązani z kościołem mogą dzięki niej otworzyć się na miłość Boga. Wierzę, że książka

„On wciąż mówi" jest przesłaniem na TERAZ dla całego Kościoła, i wierzę, że ta książka nie tylko otworzy cię na słuchanie głosu Boga, ale też zachęci do tego, byś dzielił się Jego słowami z innymi w sposób, który przyniesie Bogu chwałę, a ludziom wsparcie i pomoc.

Christine Caine
Dyrektor Equip and Empower Ministries, założycielka The A21 Campaign
Sydney, Australia / Los Angeles, Kalifornia, USA

Boże Słowo zachęca nas do badania proroctwa. Owoce życia Toma i Wayne oraz szacunek, jakim darzą ich ci, którzy za ich pośrednictwem otrzymali słowa proroctwa, w pełni kwalifikuje ich do nauczania w tym obszarze. Ta książka okazała się być dla mnie niezwykle inspirująca, praktyczna i ważna. Bóg w szczególny sposób używał Wayne do tego, by przekazywać swoje słowo wielu liderom i pastorom w Wielkiej Brytanii. Owoc jego służby jest dobrze widoczny w piosenkach i w życiu tych, których Bóg używa, by błogosławić kościół na całym świecie…, prawdziwy owoc prawdziwych proroków.

Les Moir
Dyrektor Kingsway and Integrity Music
Eastbourne, Anglia

Tom Lane i Wayne Drain rozprawiają się z tajemniczością i strachem, których wielu z nas doświadczało w obecności proroków i proroctwa. Dzięki stałemu odnoszeniu się do Pisma ta książka dokładnie wyjaśnia, czemu służy proroctwo, dlaczego jest tak ważne i na czym polegają zagrożenia wynikające z błędnego zrozumienia tego daru. Ta pełna przykładów i objaśnień, napisana łatwym i zrozumiałym językiem, książka to najlepszy do tej pory podręcznik dla każdego, kto chce zrozumieć, czym jest proroctwo.

John Paculabo
Dyrektor Zarządzający Global Song Development
w Kingsway and Integrity Music
Eastbourne, Anglia

Posługa prorocza zmieniła moje życie i nasz kościół. Tom Lane i Wayne Drain są naszymi bliskimi przyjaciółmi i wiele razy prowadzili w naszym kościele spotkania z posługą proroctwa. To ludzie o mocnym charakterze i posiadają wszelkie kwalifikacje do tego, by napisać tę książkę. Tom i Wayne, jako doświadczeni pastorzy, piszą z perspektywy ludzi, którzy kochają Kościół i mają głęboki szacunek do właściwie rozumianego daru proroctwa. Bardzo polecam tę książkę wszystkim tym, którzy chcieliby wzrastać w darze proroctwa, i tym, którzy pragną wprowadzić posługę prorocką w swoich kościołach.

Jimmy Evans
Starszy w Trinity Fellowship Church
Amarillo, Teksas, USA

„On wciąż mówi" to książka głęboko zakorzeniona w Piśmie, zawierająca mnóstwo historii i praktycznych wskazówek, z którymi powinien zapoznać się każdy, kto chce wierzyć, że Bóg dzisiaj mówi. Bóg ma wiele do powiedzenia poszczególnym osobom, wspólnotom i całym narodom. Ta książka pomoże rozwinąć dojrzałe i zdrowe podejście do proroctwa. Łączy w sobie zarówno duszpasterską, jak i proroczą perspektywę – a to bardzo niecodzienne połączenie.

Gerald Coates
Założyciel organizacji Pioneer, mówca, pisarz
Londyn, Anglia

Jestem ogromnie wdzięczny Tomowi i Wayne, że napisali tę książkę. Ale jeszcze bardziej jestem wdzięczny Bogu za to, że wciąż dzisiaj do nas mówi. Możemy słyszeć Jego głos i zachęcać innych w naszej wspólnej podróży. Modlę się o to, by ta książka pobudziła nas wszystkich do poznawania Boga i do tego, byśmy wyraźnie słyszeli Jego głos.

Brady Boyd
Pastor Przełożony New Life Church, autor książki Sons and Daughters
Colorado Springs, Kolorado, USA

Przyjaźnię się i pracuję z Wayne od ponad 25 lat. Widziałem, jak wiernie i uczciwie służył darem proroctwa. Ja sam i cała moja rodzina ogromnie skorzystaliśmy ze słów proroczych, które nam przekazał. Książka Toma i Wayne pomoże wielu ludziom zrozumieć rolę służby proroczej w codziennym życiu Ciała Chrystusa.

Noel Richards
Piosenkarz, autor tekstów
Palma, Hiszpania

Z każdą stroną tej książki będziesz czuł narastający głód Boga. Każdy kolejny rozdział przyniesie ci też świeżość i energię. A wszystko dlatego, że to nie jest książka napisana przez ludzi, którzy chcieli się podzielić swoimi przemyśleniami na temat proroctwa… To książka napisana przez ludzi, którzy na co dzień nim żyją. To genialna książka! Polecam ją pastorom, liderom grup domowych i członkom kościoła. Koniecznie musi trafić w Wasze ręce!

Paul Weston
Pastor New Generation Church, Spring Harvest Event Leadership Team
Londyn, Anglia

Służba prorocza pełni kluczową rolę w życiu lokalnego kościoła. Wielu z nas zniechęciło się, słysząc o nadużyciach w tym obszarze służby. Niektórzy z nas nigdy nie widzieli prawdziwej manifestacji tego daru. Wayne i Tom piszą z perspektywy swojego wieloletniego doświadczenia pracy w kościele. Pokazują, w jaki sposób korzystać z daru proroctwa, by w pełni objawiać to, do czego jest on przeznaczony – rozwijać uczniów i zachęcać wierzących, by stawali się takimi, jakimi Bóg chce ich mieć. Gorąco polecam tę książkę!

Billy Kennedy
Lider organizacji Pioneer
Londyn, Anglia

Tytuł oryginału: He Stil Speaks
Autor: E. Wayne Drain and Tom Lane
Tłumaczenie: Katarzyna Dumańska
Korekta i redakcja: Katarzyna i Grzegorz Boboryk
Skład i przygotowanie do druku: Rafał Korzeń
Projekt graficzny okładki: Rafał Korzeń
Druk: Drukarnia Arka, www.arkadruk.pl

Do dystrybucji na terenie całego świata: Księgarnia Szaron
ul. Ogrodowa 6, 43-450 Ustroń
kom. 516 122 994, e-mail: biuro@szaron.pl, www.szaron.pl

Originally published in the USA under the title "He Still Speaks"
Copyright© 2012, by E. Wayne Drain and Tom Lane
Published by Gateway Create Publishing
Southlake, Texas

Cytaty biblijne, jeśli nie zaznaczono, pochodzą:
Stary Testament:
BW – Biblia Warszawska: Biblia, to jest Pismo Święte Starego i Nowego Testamentu. Brytyjskie i Zagraniczne Towarzystwo Biblijne, Warszawa 1975.
Nowy Testament:
NP – Nowe Przymierze, Ewangeliczny Instytut Biblijny, 2008.

Wydanie I Ustroń, 2014
ISBN 978-83-63271-38-1

SZARON
www.szaron.pl

Książkę można nabyć:
Księgarnia i Hurtownia wysyłkowa Szaron
43-450 Ustroń, Ogrodowa 6, tel. 516 122 994
e-mail: biuro@szaron.pl / www.szaron.pl

WAYNE DRAIN, TOM LANE

ON *wciąż* MÓWI

PROROCTWO DZISIAJ

SZARON
www.szaron.pl

Dla June – mojej żony i najlepszej przyjaciółki.
Twoja miłość i wsparcie znaczą dla mnie więcej,
niż kiedykolwiek zdołam wyrazić…, choć wciąż będę się starał.
Dla mojej wspaniałej mamy, która „wymodliła"
moje powołanie do służby Bogu, i dla mojego taty,
który kibicuje mi już z bram nieba.
Dla Społeczności Chrześcijan – mojej wspólnoty wiary –
i naszej wspaniałej Rady Starszych. Mam ogromny przywilej
służyć Wam jako pastor przez te wszystkie lata. David, Chris,
Tim, Greg i Travis – jesteście najlepsi!

WAYNE

Dla Jan, mojej żony i partnerki w służbie i w życiu
od ponad 40 lat. Masz większy wpływ na moje życie, niż przypuszczasz.
Ale pewnego dnia Bóg objawi ci, jak ogromną rolę odegrałaś w tym,
czego On przez nas dokonuje!
Dla wszystkich moich dzieci i ich małżonków:
Tod i Blynda Lane; Braxton i Lisa Corley;
Tyler i Marci Lane; Brett i Lindsay Huckins.
Wasza miłość do mnie i oddanie Bogu dają mi wiele radości
i kładą fundamenty pod Boże działanie w moim życiu
i w życiu naszej rodziny. Dziękuję, że jesteście wrażliwi na Boga
i wierni naszej miłości do Niego.
Dla wspólnoty i liderów Gateway Church,
i dla wszystkich, którzy otworzyli swoje serca, by słyszeć, wierzyć
i być posłusznymi Bogu w służbie Jemu i ludziom!

TOM

Dziękujemy

Mojemu duchowemu ojcu, Lattie McDonough. Dziękuję za Twoją zachętę i niezachwianą wiarę we mnie. Gdyby nie to, że inwestowałeś we mnie przez całe lata, ta książka nigdy by nie powstała.

Bliskim przyjaciołom i rodzinie, którzy tak wytrwale mnie wspierali: Kenny i Lindsey Drain, Tim i Rhonda Drain, Mark i Laura Gotcher, Phil Love, Bobby i Kim Adams, Steve i Jane Galbo, Scott i Bethany Palmer, Kent i Laine Fancher, Chris i Jan Horan, Mack i Sherri Streety.

Przyjaciołom w służbie z całego świata, którzy mnie inspirowali i zachęcali: Tom Lane, Clark Whitten, Robert Morris, Brady Boyd, Jimmy Evans, Bill i Debra Leckie, Noel i Tricia Richards, Brian i Pauline Houston, Les Moir, Billy Kennedy, Olen Griffing, Gerald Coates, John Paculabo, Steve Pyle, David i Dale Garratt, Dave i Rhian Day, Pete i Linda Lyne, Graham Perrins, Paul Weston.

Mojej rodzinie, która zachęcała mnie do tego, bym spisywał swoje historie: June, Chris i Mary Ann, Esther i Ben, Rhian i Jasen, Blake, Madison, Kenzie. Bardzo Was kocham!

WAYNE

Mojemu najlepszemu przyjacielowi Jimmy'emu Evansowi. Dostrzegłeś we mnie Boże pragnienia i zachęcałeś mnie, bym po nie sięgnął. Twoja przyjaźń i Twój wpływ na mnie są dla mnie ogromnym darem od Boga, który odkrywam na tak wiele niesamowitych sposobów.

Zachęcałeś mnie do tego, abym prosił Boga, by objawiał słowa prorocze przez moje życie, i wspierałeś mnie, kiedy uczyłem się Go słuchać i Mu służyć. Dziękuję!

Pastorowi Robertowi Morrisowi i moim przyjaciołom starszym zboru, liderom i pracownikom Gateway Church. Robercie, zachęcałeś mnie do służby proroczej i wprowadziłeś mnie do posługi proroczej. Dziękuję za Twoją przyjaźń i kierownictwo. Czuję się zaszczycony, że mogę służyć u boku tych wszystkich wspaniałych ludzi, którzy tworzą Gateway Church. Dziękuję, że mobilizujecie mnie do miłości i służby Bogu i ludziom!

Tym wszystkim, którzy wierzą we mnie i wspierają mnie w mojej służbie: Larry'emu Titusowi, Jimmy'emu Evansowi, Robertowi Morrisowi, Clarkowi Whittenowi i Davidowi Smithowi.

Mojemu przyjacielowi i partnerowi w tym wyzwaniu, Wayne Drainowi. Bez Twojej zachęty i pasji ta książka wciąż byłaby tylko dokumentem zapisanym na twardym dysku mojego laptopa. Dziękuję Ci, przyjacielu!

TOM

Specjalne podziękowania dla całego zespołu Create Publishing: Thomasa Millera i Davida Smitha, którzy wspierali ten projekt, S. George Thomasa, Stacy Burnett i Joyce Freeman, którzy zredagowali tę książkę i pracowali bez wytchnienia, by mogła stać się rzeczywistością, Tii Bowen, Stephanie Buchanan, Lawrence Swicegood i dla zespołu Gateway Design, którzy sprawili, że to wszystko nabrało kształtów… Wasza służba i kreatywność są po prostu niesamowite.

WAYNE I TOM

Przedmowa

Nawróciłem się w 1981 roku. Zetknąłem się ze służbą proroczą dwa lata później, gdy mój kościół odwiedziła grupa ludzi organizujących posługę proroczą. Nie miałem wtedy pojęcia, o co w tym wszystkim chodzi. Mój pastor zaprosił mnie do udziału w spotkaniu, więc poszedłem. W czwartek rano pojechaliśmy razem z Debbie do kościoła. W pewnym momencie nasz pastor powiedział: „Jest w naszym kościele pewne młode małżeństwo, które chciałbym teraz zaprosić do przodu". Ludzie usługujący darem proroctwa nie mieli pojęcia, kim jestem i czym się zajmuję... Nie wiedzieli o mnie kompletnie **nic**, a mój pastor nie podał im wcześniej żadnych informacji. Modlili się o mnie i zaczęli prorokować, mówiąc, że będę podróżował po świecie, nauczał, ewangelizował, pisał książki, prowadził kościół... Te wszystkie rzeczy robię do dziś! To było dla mnie niesamowite doświadczenie spotkania z Panem i wydarzyło się właśnie dzięki służbie proroczej.

Tamtego dnia usłyszałem też, że kiedyś sam będę prowadził posługę proroczą! Przerażała mnie sama myśl o tym, że miałbym podchodzić do obcych ludzi i prorokować o ich obdarowaniu i powołaniu. Pamiętam, że pomyślałem wtedy: „Nigdy nie mógłbym tego robić".

Przez lata mojej służby miałem przywilej podróżowania z ludźmi, którzy są dla mnie duchowymi matkami i ojcami (wszyscy już jakiś czas temu odeszli do Pana), a którzy uczyli i prowadzili mnie w służbie proroczej. Podczas pierwszej wspólnej podróży nie mogłem się wprost doczekać, by wypowiedzieć do kogoś słowa prorocze. Gdy pierwsze małżeństwo podeszło do przodu, byłem gotowy! Ale moi nauczyciele kazali mi czekać. Podeszła druga para. A oni znów kazali mi poczekać. Później – trzecia i czwarta, i jeszcze kilka. W końcu jeden z liderów odwrócił się do mnie i powiedział: „Dobrze Robert, teraz twoja kolej". Tylko, że tym razem nie miałem kompletnie nic do powiedzenia!

I wtedy, nagle, w mojej głowie pojawiła się myśl. Zrobiłem krok wiary i wypowiedziałem ją na głos. I gdy mówiłem, ta myśl zaczęła się rozwijać. Była tak silna i tak celna, że ludzie zaczęli płakać. Gdy patrzyłem na nich, poruszonych do głębi Bożym głosem, który wyjawiał rzeczy skryte na dnie ich serc, poczułem się niezwykle zachęcony. Tamtego wieczoru zadzwoniłem do mojej żony, Debbie, i powiedziałem: „Właśnie do tego jestem stworzony!".

Po tym doświadczeniu zacząłem odwiedzać różne kościoły, w których organizowaliśmy posługę proroczą. Jednym z kościołów, do których trafiliśmy, była wspólnota Wayne Draina (to było ponad 20 lat temu). Wcześniej Pan dał mi podczas modlitwy fragment Pisma przeznaczony konkretnie dla mnie, mówiący o moim życiu. Nikomu o tym nie powiedziałem…, nawet Debbie. Tamtego wieczoru w kościele Wayne zgromadziła się wokół mnie grupa ludzi, którzy zaczęli się o mnie modlić, błogosławić mnie i zachęcać. Po chwili Wayne wyszedł do przodu i powiedział: „Robercie, mam dla ciebie słowo od Pana". I zaczął prorokować: „Czy nie przekazałem ci ostatnio słowa, którym nie podzieliłeś się nawet ze swoją żoną?". Następnie zacytował dokładnie ten fragment Pisma, który wcześniej otrzymałem. Pamiętam, że pomyślałem wtedy: „To niemożliwe, ten człowiek jest prorokiem!". To słowo okazało się najbardziej trafnym proroctwem, jakie kiedykolwiek otrzymałem. Znam Wayne od 25 lat. Usługiwał darem proroctwa podczas każdej posługi, jaką organizowaliśmy w Gatewaty – w każdej jednej! Z pełną odpowiedzialnością mogę powiedzieć, że Wayne ma serce pastora i mądrość, dzięki której pomaga innym pastorom zrozumieć, czym jest służba prorocza w kościele.

Kilka lat później, kiedy mój przyjaciel Tom Lane służył jeszcze w Trinity Fellowship, powiedziałem mu, że powinien się wybrać ze mną na spotkanie, podczas którego grupa osób usługuje ludziom darem proroctwa, by na własne oczy zobaczyć, o co w tym wszystkim chodzi. I tak Tom, Jimmy Evans, Clark Whitten i David Smith pojechali ze mną na spotkanie, podczas którego Tom i Jimmy otrzymali słowa prorocze. Wkrótce po tym wydarzeniu Tom zaczął czuć coraz większy głód służby proroczej i coraz bardziej rozwijał się w tym obszarze. Odkąd pracujemy razem w Gateway, Tom jest odpowiedzialny za to, by wspierać inne kościoły w rozwijaniu służby proroczej i prowadzeniu jej w zrównoważony, biblijny sposób.

W ciągu wielu lat służby zauważyłem, że ludzie są naprawdę głodni proroctwa. A my, przywódcy lokalnych kościołów, nie możemy ignorować, unikać, gardzić czy traktować proroctwa z lekceważeniem (1Ts 5:19-21). Dar proroctwa to jeden z darów Ducha Świętego, i jak pisze Paweł w 1Kor 14:3, jego podstawowym celem jest budować, zachęcać i pocieszać. Służba prorocza jest tak niezwykle istotna także dlatego, że pozwala ludziom słyszeć Boga w okolicznościach, w których czują się bezpiecznie, a Bogu umożliwia zachęcanie nas i wskazywanie tego, do czego nas powołuje.

W Gateway organizowaliśmy spotkania z posługą prorocką od samego początku istnienia kościoła i muszę powiedzieć, że zawsze wprowadzały one stabilizację, zdrowie ożywienie i we wspólnocie i przynosiły wspaniałe owoce w życiu poszczególnych osób. Wierzę, że zrównoważona służba prorocka przynosi wspólnocie trojakie korzyści: Bóg mówi do serc ludzi przez swoje Słowo i swojego Ducha, umacnia przywództwo danego kościoła i daje konkretne wskazówki w życiu ludzi. To mocny, potrójnie spleciony sznur, który niełatwo rozerwać.

Proroctwo to niezwykle potężny dar i służba. Dlatego służba prorocka w kościele musi być prowadzona w oparciu o jasne zasady i granice. Inaczej trudno zachować równowagę, a bez niej ludzie mogą zostać duchowo poranieni. Jako odpowiedzialni za prowadzenie kościoła powinniśmy koniecznie podjąć ten wysiłek i nauczyć się, co Boże Słowo mówi o tym darze Ducha, by później wspierać nasz kościół w jego zrozumieniu i przyjęciu jego działania.

Z tego powodu bardzo zachęcałem Wayne i Toma, by napisali tę książkę i podzielili się doświadczeniami prowadzenia zdrowej służby prorockiej, jakie zebraliśmy przez lata w Gateway. Wierzę, że dzięki mądrości, zrozumieniu i pastorskiemu sercu, Wayne Drain i Tom Lane to najlepsi ludzie do tego, by pomóc pastorom i liderom kościołów zrozumieć, czym jest służba prorocka. Wiem, że ta książka zachęci Was do tego, by odkrywać i praktykować dary i powołanie, które Bóg ma dla Was i Waszych kościołów.

Robert Morris
Założyciel i Pastor Przełożony Gateway Church
Autor książek: „Błogosławione życie", „Błogosławiony Kościół", „Bóg, jakiego nie znałem", „The Power of Your Words"

Spis treści

Dlaczego wydaliśmy tę książkę?

Proroctwo dzisiaj? Tak! Bez nadużyć i bez manipulowania, bez dziwactw? Tak! Czy to możliwe? Tak! – zapewniają autorzy książki „ON wciąż mówi", Wayne Drain i Tom Lane.

Prawdopodobnie nie ma w kościele drugiej służby, w której pojawiałyby się tak rażące nadużycia, jak w służbie proroczej. Nie trzeba szukać daleko, by natknąć się na konkretne przykłady manipulacji, lub na kogoś, kto doświadczył fałszywych czy przesadzonych manifestacji proroctwa na własnej skórze. Jednocześnie musimy zdać sobie sprawę, że imitacja dzieła nigdy nie zmniejsza wartości oryginału!

Autorzy, co trzeba wyraźnie zaznaczyć, nie dążą do tego, by dokonać wyczerpującego zaprezentowania teologii biblijnej na temat proroctwa staro- i nowotestamentowego. Unikają zatem wielokierunkowych wykładów, raczej dzielą się swoim zrozumieniem tego, co Biblia mówi na temat proroctwa, i skupiają się na praktycznej stronie proroctwa wyprowadzonego z nowotestamentowego poselstwa i obliczonego na użytek kościoła XXI wieku.

Bez zafałszowania wskazują na nadużycia w tym obszarze, ale jednocześnie nawołują współczesne kościoły, by z powodu tych nadużyć nie odkładały daru proroctwa do lamusa. Korzystania z darów Ducha Świętego można się uczyć i można wzrastać w umiejętności i dojrzałości ich używania. Każdy z autorów przyznaje się do własnych błędów popełnianych na drodze służby proroczej, i obaj podają wiele praktycznych wskazówek wprowadzania służby proroczej w kościele. Niektóre z poruszanych przez nich kwestii są zasadami wyprowadzonymi z Biblii, inne dotyczą zastosowania i form wypracowanych na podwórku ich lokalnego kościoła, i jak sami autorzy zaznaczają, podane przykłady służby proroczej są... przykładami, i kościoły powinny poszukać najlepszego i najsensowniejszego sposobu wprowadzenia tej służby na swoim własnym gruncie, zawsze pamiętając o nowotestamentowej zasadzie budowania, zachęcania i pocieszania – pamiętając o dobru tych, którym ten dar ma służyć!

Z każdej kolejnej strony tej książki bije przede wszystkim ogromna troska o ludzi! Troska, która odzwierciedla serce i zaangażowanie Boga w życie kościoła i w życie każdego człowieka. Każda służba, w tym służba prorocza, powinny odzwierciedlać to serce Boga dla ludzi...

Wydając tę publikację, oddajemy ją w ręce Czytelników z modlitwą i zaproszeniem do namysłu nad Bożym sercem dla nas, ludzi, zaproszeniem do zastanowienia nad tym, jak służyć innym w naszych rodzinach, w naszych kościołach, w naszych miejscach pracy – według woli i zamysłu Boga, według miłości, którą Bóg okazuje nam w Panu Jezusie Chrystusie... I wreszcie, zapraszamy do codziennej życzliwości i szacunku dla ludzi, kultury używania darów, kultury bycia z drugim człowiekiem...

Dlaczego wydaliśmy tę książkę? Bo wierzymy, że Bóg wciąż dzisiaj mówi do nas, ludzi, na różne sposoby..., także przez proroctwo.

I szkoda byłoby nie skorzystać z tego błogosławieństwa, które niesie posługiwanie się darem proroctwa w kościele.

I... niech wszystko dzieje się u Was w miłości (1Kor 16:14).

Krzysztof Zaręba –Pastor Przełożony,
Społeczność Chrześcijańska Północ, Warszawa,
wraz z Zespołem, który (z radością) dołożył wszelkich starań,
aby ta książka się ukazała, była zrozumiała i niosła zbudowanie
Wszystkim Czytelnikom:

Katarzyna Dumańska – tłumaczenie w zawrotnym tempie
i z ogromnym entuzjazmem

Anna Boboryk – głębokie opracowanie redakcyjne z głębokim
namysłem nad sensem każdego zdania

Pastor Grzegorz Boboryk – konsultacja merytoryczna
i wsparcie duchowe

Dlaczego napisaliśmy tę książkę

TOM LANE

Od ponad 20 lat Pan używa mnie w służbie proroczej. Przez większą część tego okresu odwiedzałem różne kościoły i służyłem proroctwem wspólnotom i ich liderom. Zwykle byłem częścią większego zespołu prorockiego i często usługiwałem ramię w ramię z moim przyjacielem, pastorem Wayne Drainem.

Kilka lat temu braliśmy wspólnie udział w posłudze proroczej w pewnym kościele. Przed wieczornym nabożeństwem siedzieliśmy w hotelowym lobby i rozmawialiśmy o tym, jak służba prorocka wpłynęła na nasze życia i na życie naszych kościołów. Byliśmy zadziwieni i niezwykle wdzięczni Bogu za te wszystkie dzieła, których dokonał w nas i przez nas przez te wszystkie lata.

I wtedy Wayne doznał olśnienia. Spojrzał na mnie i powiedział: „Powinniśmy razem napisać książkę o służbie proroczej!". To było niesamowite. Wayne nie miał pojęcia o tym, że od jakiegoś czasu chodziła mi po głowie myśl o napisaniu takiej książki.

Przygotowałem nawet zarys rozdziałów i tematów, które chciałbym poruszyć, gdyby kiedykolwiek udało mi się usiąść do pisania!

Pisanie o proroctwie jest z kilku powodów nieco onieśmielające. Zgadzam się z teologicznym ujęciem tematu proroctwa przez niektórych autorów. Jednak praktyka, o której piszą, kompletnie rozmija się z tym, czego sam doświadczyłem, i dlatego trudno mi się odnaleźć w ich spojrzeniu na służbę proroczą w kościele. Znam też ludzi, którzy służą darem proroctwa od lat, i biorąc pod uwagę ich doświadczenie, pewnie lepiej nadawaliby się do napisania książki na temat proroctwa. Mimo to, gdy Wayne zaproponował mi wspólną pracę, poczułem szybsze bicie serca. Zgodziłem się bez wahania i od razu pokazałem mu moje dotychczasowe notatki. Okazało się, że on też odrobił pracę domową! Zdecydowaliśmy, że spróbujemy połączyć siły i stworzyć książkę, w której podzielimy się naszą wiedzą i doświadczeniami, by w ten sposób wesprzeć Boże dzieło w Jego Kościele. Przez wiele lat, usługując razem darem proroctwa, widzieliśmy jak budująco może on wpływać na kościół i jego liderów. A doświadczając jego działania we własnym życiu, wiemy, jak niesamowite przynosi korzyści.

Pragniemy przedstawić Wam posługę proroczą z biblijnego punktu widzenia. Spokojnie, nie jesteśmy heretykami; jesteśmy tylko dwójką pastorów prowadzących swoje kościoły, którzy kochają Boga i ludzi. Rozumiemy, że możesz być sceptyczny, bo widziałeś ludzi nadużywających proroctwa, albo nie wierzysz, że ten dar ma dziś swoje miejsce w kościele. Jeśli masz wątpliwości, w jaki sposób dar proroctwa może przynosić życie zarówno poszczególnym osobom, jak i całym wspólnotom, mamy nadzieję, że ta książka pozwoli ci zrozumieć biblijne zasady służby proroczej. A jeśli sam zostałeś zraniony przez proroctwo lub przekazującą je osobę, to modlę się, by lektura tych stron przyniosła uzdrowienie dla Twojego ducha i serca, i odnowiła pragnienie troskliwego działania Boga w Twoim życiu.

Zanim Wayne podzieli się z Wami swoimi przemyśleniami, chciałbym opowiedzieć Wam nieco o sobie i mojej drodze z Panem. Jestem facetem, który zdecydowanie mocniej używa prawej półkuli mózgu. Uwielbiam porządek i logikę, i w ten sposób podchodzę do większości spraw w moim życiu. Ale chodząc z Bogiem od ponad 40 lat zrozumiałem, że On jest większy, głębszy, bardziej skomplikowany i złożony, a jednocześnie prostszy niż cała moja logika i pragnienie porządku są w stanie to ogarnąć. Gdy otrzymałem Ducha Świętego, rozpoczął się w moim życiu nowy etap drogi z Bogiem – nauczyłem się więcej ufać niż rozumieć. Nauczyłem się słuchać tych cichych wrażeń i szeptów, i rozpoznawać wśród nich wewnętrzny głos Boga. Przez lata moja relacja z Bogiem stała się bardziej osobista i bliska, a moja miłość do Niego – głębsza i mocniejsza.

Choć sam nigdy nie ucierpiałem z powodu wygłoszonego do mnie proroctwa, to jednak myśl o tym, że inni zostali zranieni przez niewłaściwe użycie tego daru, bardzo mnie porusza. Gdy byłem młodszy, sądziłem, że proroctwo służy raczej upominaniu i upokarzaniu niż pełnemu miłości zbudowaniu, zachęcie i pocieszeniu. I do pewnego stopnia odzwierciedla to opinie wielu osób, z którymi się spotykałem. Tak więc gdy pewien zaufany pastor zaprosił mnie i grupę liderów z naszego kościoła, by zbliżyć się do Boga, słuchać Jego głosu i na forum grupy dzielić się tym, co nam powiedział, byłem mocno zaniepokojony i bardzo ostrożny. Od pierwszego pełnego niepewności momentu przez wszystkie kolejne lata, kiedy kochałem Boga i otrzymywałem od Niego słowo, wielokrotnie doświadczałem tego, jak przez służbę proroczą Bóg zachęca mnie, prowadzi i pociesza. Służba prorocza to jeden ze sposobów wpływania Boga na nasze życie. A moje doświadczenie podpowiada mi, że jeśli służba prorocza jest prowadzona w sposób odzwierciedlający serce Boga dla ludzi, ten wpływ może być niezwykle inspirujący.

Dzieląc się naszym zrozumieniem tego, co Biblia mówi na temat proroctwa, i przekazując pewne praktyczne wskazówki, w jaki sposób możesz wprowadzać służbę proroczą do swojego kościoła, modlę się, byś otworzył swoje serce na to, że Bóg wciąż mówi, a jedną z życiodajnych metod Jego komunikacji z nami jest właśnie proroctwo. Życzę przyjemnej lektury i inspiracji do działania!

WAYNE DRAIN

Zostałem chrześcijaninem podczas działania ruchu Jesus Movement na początku lat 70-tych. W tamtym czasie byłem mocno zafascynowany tym, że mogę mieć relację z żywym Bogiem, który komunikuje się z ludźmi wprost, bez udziału pośredników. Wciąż jest to dla mnie ogromnie ważne. Nie pisałem się na religijne doświadczenia czy zestaw rytuałów do wypełnienia, chciałem relacji. A zdrowa relacja zakłada zdrową komunikację.

Gdy byłem na studiach, służyłem jako lider uwielbienia, autor piosenek i ich wykonawca, porządkowy, nauczyciel i, jak to ktoś kiedyś określił, „pastor z prorockim zacięciem". Kochałem swoją służbę, ale wiedziałem też, że nie mogę tak dalej, nie mogę już dłużej robić wszystkich rzeczy naraz. Zacząłem otrzymywać słowa wiedzy, słowa mądrości i słowa prorocze dla różnych ludzi, choć nie rozumiałem ich znaczenia. Wołałem do Boga, by dał mi jasność i wskazał kierunek dla mojego życia. Odpowiedział, jasno potwierdzając moje powołanie do bycia pastorem. Trzy różne osoby pochodzące z różnych krajów w ciągu kilku tygodni przekazały mi to samo słowo prorocze. To słowo do dziś brzmi w moim sercu i czuwa nad tym, bym nie zboczył z kursu: „Będziesz prowadził wielki kościół i będziesz prorokował wobec narodów". Te kilka prostych słów pozwoliło mi wybrać właściwą drogę i trzymać się tego, do czego Bóg mnie powołał i czym mnie obdarował. Te słowa dały mi odwagę, by odpowiadać tak lub nie różnym możliwościom i zaproszeniom do podjęcia służby. Minęło 40 lat od tamtych słów, a ja wciąż prowadzę ten sam kościół. W tym czasie prowadziłem uwielbienie i służyłem proroctwem przynajmniej w 35 krajach.

Gdy zacząłem odkrywać, co Biblia mówi na temat proroków, proroctwa i posługi proroczej, byłem zaskoczony, że tak niewiele napisano do tej pory o tym wspaniałym obszarze służby, a pozycje, które powstały, brzmiały dość mocno fantastycznie i sensacyjnie. Do tego zdawały się być zarezerwowane tylko dla „superpastorów", którzy podążali tropem starotestamentowych proroków – silnych w prawie, ale słabych w łasce. Mimo to spotykałem ludzi, takich jak mój mentor Lattie McDonough, którzy patrzyli na proroctwo z perspektywy Nowego Testamentu. Pochodzę z bardzo legalistycznego kościoła więc postrzeganie proroctwa jako służby niosącej zbudowanie, zachętę i pociechę wydawało mi się zbyt dobre, by mogło być prawdziwe. Z czasem w różnych częściach świata spotykałem innych mężczyzn i kobiety, którzy na nowo odkrywali, że służba prorocza może przynosić jasność, potwierdzenie, życie i radość. Obserwowałem ludzi, którzy usługując darami Ducha (1Kor 12), wydawali też w swoim życiu Jego owoce (Ga 5).

Gdy zacząłem podejmować kolejne kroki wiary, byłem zachwycony tym, jak pozytywnie proroctwo wpływa na ludzi, którzy się na nie otwierają. Rozwijanie swoich darów we wspólnocie pomogło mi odkryć niezwykły dar służby proroczej i jednocześnie cieszyć się pełną miłości radą i duchowym wsparciem.

Czuję się błogosławiony tym, że przez te wszystkie lata mogłem być częścią wielu różnych zespołów proroczych, służąc u boku wspaniałych ludzi, pełnych wiary i mocnego charakteru, takich jak mój dobry przyjaciel Tom Lane. Nasza wspólna praca nad tą książką była dla mnie czystą przyjemnością. Mamy nadzieję, że posłuży ona jako inspiracja i praktyczna pomoc dla tych wszystkich, którzy wierzą, że Bóg wciąż dziś mówi do ludzi, którzy są otwarci na to, by słuchać. Jako pastorzy, którzy prorokują, pragniemy widzieć ludzi zbudowanych i umocnionych w wierze. I chcielibyśmy też zobaczyć nowe pokolenie pastorów i proroków, którzy powstaną, by błogosławić Boży lud. Przede wszystkim, mamy szczerą nadzieję, że ta książka pomoże każdemu, kto po nią sięgnie, otworzyć się na Boga, który wciąż mówi do mających uszy, aby słuchać.

CZĘŚĆ 1

Reguły służby proroczej

1
KAŻDY POTRZEBUJE SŁOWA OD BOGA
Tom Lane

Twoje Słowo jest pochodnią dla mych nóg,
Jest światłem dla moich ścieżek.
Ps 119:105

Na przestrzeni wieków ludzie dopuszczali się wielu szalonych rzeczy w imię Boga. Wyprawy krzyżowe, polowania na czarownice, niewolnictwo… To tylko kilka z nich. Także w Kościele od najdawniejszych czasów pojawiały się nieudolne imitacje tego, co pobożne i prawe – ludzie z egoistycznych pobudek, a także zwykli szarlatani dla osiągnięcia osobistych korzyści oraz dla własnej, a nie Bożej chwały, siali zniszczenie w życiu innych osób.

Prawdopodobnie nie ma w Kościele drugiej służby, w której pojawiałyby się tak rażące nadużycia, jak w służbie proroczej. Nie trzeba szukać daleko, by natknąć się na konkretne przykłady manipulacji, lub na kogoś, kto doświadczył fałszywych czy przesadzonych manifestacji proroctwa na własnej skórze. Jednocześnie musimy zdać sobie sprawę, że imitacja dzieła nigdy nie zmniejsza wartości oryginału, zwłaszcza gdy mówimy o autentycznej służbie proroczej, która jest użyteczna i bardzo potrzebna w naszych czasach.

Wielu ludzi nie wierzy, że proroctwo to dar od Boga, którym wierzący powinni się dziś posługiwać. Niektórzy postrzegają go wyłącznie w kategoriach rózgi służącej obnażeniu i wykorzenieniu grzechu z szeregów Bożego ludu.

Czuliśmy potrzebę napisania książki o darze proroctwa i jego zastosowaniu, ponieważ mocno wierzymy, że rola służby proroczej w Kościele jest dziś tak samo istotna, jak była zawsze. Prorok Amos napisał: *Zaiste,* **nie czyni Wszechmogący Pan nic, jeżeli nie objawił swojego planu swoim sługom, prorokom** (Am 3:7). W liście do kościoła w Koryncie Apostoł Paweł nawołuje: *Zabiegajcie o miłość, i* **gorąco pragnijcie duchowych darów, a najbardziej tego, żeby prorokować** (1Kor 14:1). Paweł ponawia tę samą zachętę, pisząc do kościoła w Tesalonice: *Ducha nie gaście.* **Proroctw nie lekceważcie** (2Ts 5:19-20). A Jan w Objawieniu pisał: **A tym świadectwem Jezusa jest duch proroctwa** (Obj 19:10). Wszystkie te biblijne zalecenia skłaniają do postawienia kilku prostych pytań: Kto z nas nie chciałby, by Jezus działał w swoim Kościele? Kto z nas nie potrzebuje słowa od Boga?

> **WIEMY, ŻE BÓG MÓWI DO NAS PRZEZ BIBLIĘ, SPISANE BOŻE SŁOWO, ALE CZY NIE MA TEŻ INNEGO SPOSOBU, W JAKI MOŻE SIĘ WYRAŻAĆ JEGO SŁOWO?**

Może przyjęta teologia lub doświadczenia spowodowały, że zamknąłeś drzwi wszystkim współczesnym przejawom działania Ducha Świętego. Jednakże jest taki obszar Bożego działania w Jego Kościele i pomiędzy Jego ludem, który bez służby proroczej pozostaje niepełny.

W miarę dążenia do coraz głębszej, bliższej relacji z Bogiem, wielu chrześcijan dochodzi do miejsca, w którym zaczyna stawiać sobie pytania: Czy służba prorocza jest wciąż aktualna? Wiemy, że Bóg mówi do nas przez Biblię, spisane Boże Słowo, ale czy nie ma też innego sposobu, w jaki może się wyrażać Jego słowo? A co jeśli nasze dotychczasowe doświadczenia związane ze służbą proroczą lub darami Ducha Świętego były raczej dziwaczne? Czy proroctwo to aby na pewno dar na dziś? Jak mogę podejść do proroctwa jako do autentycznej i zdrowej formy służby dzisiejszego Kościoła? Czy każde proroctwo musi być karcące? Czy starotestamentowy model służby proroczej naprawdę oddaje Boże serce dla Kościoła i Jego dzieci w dzisiejszych czasach? Czy kwestionowanie objawienia i zastosowania proroctwa oznacza bunt? Czy jeśli odrzucam osobę proroka lub jego słowo, to czy tym samym odrzucam samego Boga? Te wszystkie pytania są w pełni uzasadnione. I jeśli chcemy przyjąć przejawy proroctwa w naszym życiu, i włączyć służbę proroczą do naszego kościoła, musimy znaleźć na te pytania odpowiedzi.

Jeśli chodzi o otrzymywanie słowa od Boga, to zauważyłem, że u większości ludzi dominuje uczucie, które i mnie towarzyszyło na samym początku. To **strach**. I chociaż nie ma niczego wspanialszego od pewności, że Bóg mnie zna, kocha i naprawdę chce ze mną rozmawiać jak z przyjacielem, to większość z nas ma wrażenie, że Bóg jest zawsze na nas zły i że jest sfrustrowany naszym życiem. Sądzimy, że gdyby naprawdę z nami rozmawiał, to byłby surowy, upominający i zniecierpliwiony. W każdym razie, to zgadzałoby się z moim wyobrażeniem, a większość proroctw, które miałem okazję przez pewien czas słyszeć w kościele, jedynie potwierdzała moją teorię.

Gdy miałem nieco ponad 20 lat, chodziłem do kościoła, którego pastor usługiwał m.in. darem proroctwa. Wygłaszał słowo prorocze nad każdą osobą, która formalnie dołączała do kościoła, witając ją w ten sposób we wspólnocie. I chociaż jego proroctwa nigdy nie były przykre czy krępujące, ja **wiedziałem**, że będę pierwszym, któremu będzie dane doświadczyć surowego upomnienia czy wręcz poniżenia na oczach wszystkich. W rezultacie czekałem kilka ładnych lat, zanim dołączyłem do kościoła.

W końcu nadszedł dzień, w którym zdecydowałem się zostać formalnie członkiem wspólnoty. Wiedziałem, że to oznacza słowo prorocze od mojego pastora. Zmagając się z ostatnimi wątpliwościami, postanowiłem, że jeśli dołączenie do kościoła ma oznaczać publiczne upomnienie i zawstydzenie, to niech tak będzie. Nadszedł ten dzień. Byłem zdenerwowany i przestraszony na samą myśli o tym, co może się wydarzyć. Byłem jedną z piętnastu osób, które tamtego dnia dołączały do kościoła. Pastor podchodził do nas kolejno, aż w końcu dotarł do mnie. Zatrzymał się na chwilę i spojrzał mi uważnie w oczy. Jego wzrok przeszywał mnie na wskroś. Wiedziałem, że patrzy w głąb mojej duszy i za chwilę wywlecze z niej na widok publiczny całą moją brzydotę. Nie prowadziłem specjalnie grzesznego życia, a moje serce było zwrócone do Boga, ale wcale nie byłem przekonany, czy to ma jakiekolwiek znaczenie. Wiedziałem, że nie jestem wystarczająco dobry, i czułem, że Bóg zaledwie mnie toleruje. Byłem pewien, że to wydarzenie wyzwoli Jego gniew, bo zwracało przecież całą Jego uwagę na mnie. Przygotowałem się więc dobrze, by przyjąć przypadającą mi porcję Jego oburzenia.

Po chwili, która dla mnie trwała całą wieczność, pastor powiedział: „Pan nie daje mi żadnego słowa dla ciebie", i podszedł do kolejnej osoby. A we mnie mieszały się uczucia ulgi i frustracji. I **na to** czekałem przez trzy lata?! Każdy z nowych członków kościoła otrzymał tego dnia proroctwo. Każdy… oprócz mnie. Gdy pastor dzielił się z nimi słowami z Bożego serca, doznali zachęty, miłości i wewnętrznego umocnienia. Każdy… oprócz mnie. Właściwie odkąd tylko pamiętam, zawsze każdy nowy członek kościoła otrzymywał słowo. Byłem pierwszym, który nie dostał nic!

Po południu zadzwonił do mnie mój pastor. Chciał mnie pocieszyć, mówiąc, że nie wyczuł we mnie grzechu czy też Bożego niezadowolenia z mojego życia, które mogłyby powstrzymać Pana przed mówieniem do mnie poprzez proroctwo. Mówił, że sam był tym wszystkim dość mocno zmieszany i naprawdę nie był w stanie wyjaśnić, dlaczego tamtego ranka nie otrzymał dla mnie słowa..., ale ja w głębi duszy wiedziałem dlaczego.

Gdy pastor dzielił się ze mną swoimi przemyśleniami, Pan zaczął cicho szeptać do mojego serca: „Nigdy cię nie zawstydzę. Jeśli nie chcesz, żebym do ciebie mówił, to nie będę".

Objawiając mi swoją kochającą naturę, Bóg łagodnie prostował moje skrzywione spojrzenie. Tamtego dnia zrozumiałem, że Bogu nie chodzi o to, aby mnie zranić czy upokorzyć. On obchodzi się ze swoimi dziećmi w niezwykle troskliwy sposób, z każdym indywidualnie.

Gdy zacząłem rozumieć, że Bóg nie zawstydzi mnie, wyciągając na wierzch moje grzechy, w moim sercu wydarzyło się coś, co pogłębiło moją relację z Nim. Tamtego dnia czułem się przez Niego kochany bardziej niż przez całe dotychczasowe życie. (Tak właśnie działa Bóg, kiedy wyjaśnia coś swoim dzieciom, upominając je w bardzo dyskretny sposób, i... pozostawiając na uboczu zdezorientowanego, nie mogącego zrozumieć sytuacji pastora).

Przez te wszystkie lata, kiedy Bóg pozwalał mi służyć ludziom słowem proroczym, nigdy nie zapomniałem o tym doświadczeniu. Zawsze jestem świadomy strachu, który czułem (i który mogą też czuć inni) w oczekiwaniu na Boże słowo. Każda służba podejmowana w imieniu Boga powinna wiernie odzwierciedlać Jego troskliwą postawę wobec ludzi. Dlatego słowa prorocze muszą być przekazywane z ogromną wrażliwością i oddawać Boże pragnienie czułego zaangażowania w życie ludzi.

Wiele razy brałem udział w posłudze proroczej w kościele. To szczególny czas. Zespół usługujący darem proroctwa przekazuje wierzącym słowa potwierdzające działanie Boga. Zespół prorocki rozpoznaje i nazywa dary, którymi Bóg wyposażył liderów, i zachęca ich do wytrwałej służby Bogu, potwierdzając kierunek realizowanej przez nich służby. To wspaniały i namaszczony czas Bożej obecności, z którego wszyscy możemy się cieszyć. (W dalszej części książki zagłębimy się w szczegóły posługi proroczej). Jest czas usługiwania słowem proroczym liderom i jest też czas na usłużenie proroctwem innym członkom wspólnoty – zgodnie z tym, co w danym czasie Bóg objawia przez Ducha Świętego.

Kilka lat temu brałem udział w kilkudniowej posłudze proroczej w kościele mojego przyjaciela w Arkansas. Podczas jednego ze spotkań zwróciłem uwagę na pewną młodą parę. Mieli po dwadzieścia kilka, może po trzydzieści lat. Kiedy zacząłem się o nich cicho modlić, Pan powiedział do mnie: „Odpowiedź brzmi TAK! Pomyślałem: Dobrze, ale co TAK, Panie? A On odpowiedział: Tak, to ja was prowadzę. Tak, teraz jest czas. I tak, będę wam błogosławił!... Powiedz im te słowa".

Pomyślcie, nigdy wcześniej nie widziałem tej pary, nie miałem pojęcia co się dzieje w ich życiu i czy te słowa będą miały dla nich jakiekolwiek znaczenie. A co jeśli spojrzą na mnie pustym wzrokiem i zrobi się niezręcznie?

Nauczyłem się jednak, że jeśli chcesz być narzędziem w rękach Boga, musisz być gotowy zrobić z siebie głupka, i jest to szczególnie prawdziwe w odniesieniu do służby proroczej. Modlisz się i otrzymujesz objawienie od Ducha Świętego; wierzysz, że to, co otrzymałeś, pochodzi od Niego; potem dzielisz się tym objawieniem z ludźmi, których On ci wskazuje. I to oni potwierdzą słowo swoją reakcją. Słowo od Boga zachęci, zbuduje i pocieszy osobę, do której jest skierowane, i albo osiągnie ten efekt natychmiast, albo z czasem, gdy zostanie zinterpretowane. Ten proces Bożego działania wymaga odpowiedzi w postaci wiary od każdej z zaangażowanych stron. Odpowiadamy na Boże działanie przyjmując słowa, które usłyszeliśmy, a ich zrozumienie i zastosowanie przychodzi przez odpowiedź wiary, w miarę jak rozważamy je z zaufanym liderem duchowym, i wzrasta nasze zrozumienie tych słów.

Pewnie zastanawiacie się: „Czy to poruszenie mogło pochodzić ze mnie? A może to szatan podsuwa mi fałszywe słowa? Czy to możliwe, że to wcale nie jest od Boga?". Odpowiedź brzmi „tak". Jeśli to nie jest prowadzenie Ducha Świętego, to może to pochodzić z nas. Kluczem do tego, by otrzymać cokolwiek od Boga, jest całkowite poddanie Bogu i poszukiwanie w Nim źródła naszego objawienia. Pamiętajcie: **imitacja dzieła nigdy nie zmniejsza wartości oryginału**. Objawienie od Boga i służba prorocza są prawdziwe.

W Ewangelii Mateusza czytamy następującą wypowiedź Jezusa:

Proście, a będzie wam dane. Szukajcie, a znajdziecie. Pukajcie, a otworzą wam. Każdy bowiem, kto prosi, otrzymuje, kto szuka, znajduje, a kto puka, temu otworzą. Czy jest pośród was taki człowiek, który – gdy syn go prosi o chleb – podaje mu kamień? Lub, gdy poprosi o rybę, podaje węża? Jeśli więc wy, upadli ludzie, wiecie jak dawać dobre dary swoim dzieciom, o ileż bardziej wasz Ojciec, który jest w niebie, da to, co dobre, tym, którzy Go proszą.

Ewangelia św. Mateusza 7:7-11

Opierając się na słowach Jezusa, możemy być pewni, że ponieważ szukamy Boga i nasze życie jest Mu poddane, te wewnętrzne poruszenia, których doświadczamy, nie pochodzą z naszego ciała czy od szatana, ale od Boga. To On sam daje nam dobrą rzecz – porusza nas, by wyrazić Jego miłość, wlać nadzieję w środek beznadziejnej sytuacji, czy dać słowo zapewnienia i zachęty komuś, o kogo głęboko się troszczy. Obietnica Jezusa jest jasna – nasz Ojciec Niebieski nie włoży nam w ręce atrapy i nie pozwoli, żebyśmy zostali oszukani, kiedy prosimy Go o dobre rzeczy. Wiara, że ta obietnica jest absolutnie prawdziwa, zbuduje w nas pewność i zaopatrzy nas w odwagę potrzebną do tego, by iść, szukać i przekazywać to, co jak wierzymy, jest słowem od Boga.

Ale wracając do pary, dla której otrzymałem słowo. Zszedłem ze sceny i ruszyłem w ich stronę. Kiedy dotarłem do miejsca, w którym siedzieli, poprosiłem, żeby wstali i podali mi swoje imiona. Potem przekazałem im słowo, które dał mi Pan. Powiedziałem, co czuję – że Bóg do mnie przemówił i poprosił, bym im powiedział: „Odpowiedź brzmi TAK! Tak, to ja was prowadzę. Tak, teraz jest czas. I tak, będę wam błogosławił!". Gdy mówiłem te słowa, mężczyzna zaczął płakać, pochylił się do przodu, zaciskając dłonie na oparciu stojącego przed nim krzesła, podczas gdy jego żona przylgnęła mocno do jego ramienia. Zgromadzeni wokół ludzie wyrażali głębokie wsparcie. Nie miałem pojęcia, o co w tym wszystkim chodzi, ale wyglądało na to, że słowa, które im przekazałem, bardzo ich poruszyły i miały jakieś znaczenie zarówno dla nich, jak i dla ludzi, którzy ich znali. Zapytałem, czy wiedzą, co to znaczy. Skinęli twierdząco głowami.

Gdy wróciłem na scenę, pastor powiedział wszystkim, że ta para modliła się, pytając Boga, czy powinni sprzedać swój majątek, dołączyć do organizacji misyjnej i przenieść się z rodziną do innego kraju, by służyć jako misjonarze. Tamtego tygodnia wysłali do starszych kościoła list z prośbą o modlitwę o podjęcie właściwej decyzji. Chcieli wyraźnego potwierdzenia od Boga. Nie muszę chyba mówić, że je otrzymali. Byli zachęceni, pocieszeni i zadziwieni tym, jak jasno Bóg potwierdził Swoje kierownictwo w ich życiu. I ja także byłem zachęcony i zadziwiony! Nie mogę wyjść z podziwu za każdym razem, gdy Bóg tak czule i jasno wypowiada swoje słowa do ludzi.

Tego typu służba prorocza ma zwykle swoje miejsce w kościele podczas specjalnie wyznaczonego czasu uwielbienia. Jestem jednak przekonany, że Bóg chce, by prorocze słowa były przekazywane w tak naturalny sposób, by nawet ci, którzy nie wiedzą, że w ogóle dar proroctwa istnieje, mogli je otrzymać i doświadczyć troskliwej opieki Boga. Zarówno ludzie w Kościele, jak i poza nim potrzebują pełnego miłości spotkania z Bogiem. Wyobraź więc sobie, że przekazujesz komuś dające życie słowo od Boga, stojąc w kolejce do kasy w supermarkecie, robiąc zakupy w osiedlowym sklepie czy ćwicząc na siłowni. Wyobraź sobie również, że przekazujesz swoim dzieciom i innym członkom najbliższej rodziny słowo płynące z samego serca Boga, trafiające w samo sedno sytuacji, z którą się w danej chwili zmagają… Nie słowo z religijnego słownika, ale takie, które wyraża Bożą miłość, przynosi nadzieję w trudnych okolicznościach życia albo wskazuje kierunek, daje zapewnienie i zachętę wprost z serca Boga do serca człowieka.

Każdy potrzebuje słowa od Boga! Każdy potrzebuje wiedzieć, że On się troszczy i wie, czego potrzebujemy i w jakiej sytuacji się znajdujemy.

Mój przyjaciel, Clark Whitten, doświadczył tego rodzaju naturalnego usługiwania słowem proroczym na własnej skórze. Podróżował właśnie samolotem, miał wziąć udział w posłudze proroczej w pewnym kościele. Gdy wkładał swój bagaż podręczny do schowka nad głową, nawiązał kontakt wzrokowy z osobą, która zajmowała miejsce obok niego. Nigdy wcześniej nie spotkał tego człowieka i kompletnie nic o nim nie wiedział. Gdy usiedli już w fotelach, Clark zapytał sąsiada: „Jak się ma Lucy?". Zaskoczony pytaniem

KAŻDY POTRZEBUJE SŁOWA OD BOGA!

mężczyzna odpowiedział: „Czy my się znamy?". Clark na to: „Nie, nie sądzę, żebyśmy się kiedykolwiek spotkali". Mężczyzna znów zapytał: „Skąd pan mnie zna?". Clark grzecznie odpowiedział, że się nie znają, i ponownie zapytał towarzysza podróży: „Czy zna pan Lucy? Kim ona jest? Jak się czuje?". Wciąż zaskoczony i lekko skonsternowany nieznajomy powiedział, że Lucy to jego żona i kiepsko się czuje. Właśnie zdiagnozowano u niej raka, jakiś rodzaj białaczki. Próbując zrozumieć, co się właściwie dzieje, mężczyzna zadał kolejne pytanie Clarkowi, jakby chciał się upewnić: „Więc nie zna pan ani mnie, ani Lucy?".

I TY MOŻESZ BYĆ POSŁAŃCEM BOŻEJ WIADOMOŚCI, PEŁNEJ ZACHĘTY I MIŁOŚCI, DLA KOGOŚ, NA KIM BARDZO MU ZALEŻY

Przez cały czas trwania lotu Clark dzielił się z kimś, kogo nigdy wcześniej nie spotkał, słowami nadziei i zachęty, by pomóc mu poradzić sobie z druzgocącą informacją, którą otrzymał od żony. Mógł podzielić się z nim dobrą nowiną o Jezusie i wiecznej miłości Boga. Bez wątpienia ten człowiek i jego żona potrzebowali słowa nadziei, zachęty i pociechy!

Tak naprawdę, **wszyscy** potrzebujemy słowa od Boga. Może okoliczności twojego życia nie są tak dramatyczne jak te, z którymi musieli się zmierzyć Lucy i jej mąż, ale dla ciebie twoje okoliczności wciąż pozostają najważniejsze. Czy potrzebujesz słowa mądrości w sytuacji, w której się teraz znajdujesz? Może musisz podjąć ważną decyzję i potrzebne ci są wskazówki? A być może czekasz na słowo, które jeszcze raz zapewni cię o Bożej miłości i działaniu Boga pośród zdarzeń, które nagle zmieniają bieg twojego życia? Jeśli tak, poproś Go o wyraźne słowo. **Jego słowo jest życiem.**

I ty możesz być posłańcem Bożej wiadomości, pełnej zachęty i miłości, dla kogoś, na kim bardzo Mu zależy. Jeśli pozwolisz, by Bóg używał cię w ten sposób w służbie Jego miłości do ludzi, to modlę się, abyś poczuł wezwanie i zachętę, i zrobił ten krok wiary. A kiedy go zrobisz, Duch Święty cię wypełni i użyje cię jako Jego posłańca, by nieść pomoc innym ludziom. Kiedy Apostoł Paweł przemawiał do mieszkańców Aten, powiedział: *(...) nie jest On daleki od nikogo z nas. W Nim żyjemy, poruszamy się i jesteśmy (...)* (Dz 17:27-28). A także: *Dary łaski są różne, ale Duch – ten sam. Różne są dziedziny służby, ale Pan – ten sam. Różne też są formy działania, lecz ten sam Bóg, który sprawia wszystko we wszystkich. W każdym zaś, dla wspólnej korzyści, w jakiś sposób przejawia się Duch* (1Kor 12:4-7). Duch Święty jest tym, który udziela darów i Jego rolą jest reprezentowanie Jezusa na ziemi i w naszym życiu.

Modlę się także o to, abyście zrozumieli, że służba prorocza może być wolna od dziwactw, jeśli jest prowadzona w uporządkowany i ożywiający sposób. Biblia jest fundamentem każdego Bożego objawienia. Żadne słowo objawienia pochodzące od Boga nigdy nie będzie sprzeczne z zasadami i naukami Biblii. Każdego dnia podejmujemy wiele decyzji, co do których nie znajdziemy w Biblii szczegółowych wytycznych – gdzie mieszkać, jaki samochód kupić, jak rozwiązać rodzinny czy zawodowy problem. Te i wiele innych życiowych sytuacji wymagają Bożej mądrości i kierownictwa.

Mam nadzieję, że nabierzecie perspektywy, która pozwoli wam spojrzeć na proroctwo nie tylko jak na służbę praktykowaną i rozwijaną głównie w ramach kościoła i jego różnych służb, ale też jak na dar, którym można służyć w codziennym życiu, by zachęcać, wspierać i pocieszać ludzi **gdziekolwiek** ich spotykamy.

2

CZTERY OBSZARY PROROCTWA

Wayne Drain

Dary łaski są różne, ale Duch – ten sam.
1Kor 12:4

W latach 40-tych dobrze znany angielski ewangelista, Smith Wigglesworth[1], otrzymał proroctwo, że na przełomie wieków (około roku 2000) nastąpi „duchowe przebudzenie, podczas którego Słowo i Duch będą płynąć razem w świeży i potężny sposób". To bardzo ekscytujący okres dla Kościoła na całym świecie. W Kościele Zielonoświątkowym i innych kościołach charyzmatycznych daje się odczuć rosnący głód Boga i cześć dla Słowa Bożego. Jednocześnie w kościołach głównego nurtu ewangelicznego możemy obserwować nową otwartość na dary Ducha Świętego wymienione w 1Kor 12 i Rz 12. To połączenie Słowa i Ducha jest szczególnie widoczne w Afryce, Ameryce Południowej i Środkowej, gdzie najszybciej rosnące kościoły identyfikują się jako charyzmatyczne czy zielonoświątkowe.

---

[1] Smith Wigglesworth (1859–1947) ur. w Menston w Yorkshire w Anglii – ważna postać w historii wczesnego ruchu zielonoświątkowego. Swoją podstawową wiedzę biblijną pozyskał wśród braci plymuckich. Nazywano go Apostołem Wiary. Jego nauczanie jest identyfikowane z treściami propagowanymi przez Ruch Wiary *(przyp. red.)*.

Coraz więcej wspólnot jest wrażliwych i otwartych na dary objawienia, takie jak słowo wiedzy i słowo mądrości. Wydaje się, że rośnie też zainteresowanie proroctwem. Jednakże wyobrażenia co do tego, czym jest proroctwo i na jakich zasadach funkcjonuje, są różne. Wielu ludzi nie wierzy, że dary Ducha (w tym proroctwo) są dziś w użyciu. Inni uważają, że proroctwo wiąże się przede wszystkim z eschatologią – nauką o dniach ostatecznych czy o końcu czasów. I choć eschatologia sama w sobie jest bardzo interesująca, w tym rozdziale chcę skoncentrować się na zrozumieniu biblijnych funkcji różnych poziomów proroctwa. Wierzę, że istnieją cztery odrębne obszary proroctwa.

OBSZAR 1 ⇨ PROROCTWO PISMA

To pierwszy i podstawowy obszar proroctwa. Wszystkie biblijne objawienia przekazywane przez proroków Starego i Nowego Testamentu mieszczą się w tym obszarze. Wszystkie zasady dotyczące proroctwa, które zaczerpnęliśmy z Biblii, należą właśnie do tego obszaru. Stanowią one **podstawowe** źródło – fundament uważnego badania słów proroczych, które dziś otrzymujemy. Apostoł Piotr pisze: *Przede wszystkim wiedzcie, że żadne proroctwo Pisma nie rodzi się z ludzkich przemyśleń. Proroctwo bowiem nie powstawało nigdy z woli człowieka. Zawsze wypowiadali je ludzie posłani przez Boga, natchnieni Duchem Świętym* (2P 1:20-21). Frank Damazio pisze: *Proroctwo Pisma mówi o podkreślanych i odkrywanych elementach Słowa Bożego jako o najwyższej formie objawienia się Boga człowiekowi*[2]. To znaczy, że logos – spisane Słowo Boga – jest najwyższą i najczystszą formą komunikacji Boga. Jednak Apostoł Paweł mówi nam też w 1Kor 14, że powinniśmy pragnąć wszystkich darów duchowych,

---

[2] Frank Damazio, *The Prophetic Ministry*, Church Life Library, Eugene, Oregon 1983.

a szczególnie daru proroctwa. By zachować równowagę, potrzebujemy zarówno spisanego Słowa Boga, jak i słowa proroczego. Dlatego wierzę, że słowo prorocze nigdy nie może stać w sprzeczności z regułami zawartymi w Piśmie. Bóg pragnie, by słowo prorocze było przekazywane zgodnie **z prowadzeniem Ducha Świętego.** Niektórzy tak bardzo boją się popełnienia błędu, że z tej obawy powstrzymują słowo. Inni pędzą na oślep bez chwili zastanowienia nad tym, co robią, i nad odpowiednim

> **AUTENTYCZNE PROROCTWO ZAWSZE WSKAZUJE NA JEZUSA, A NIE NA OSOBĘ, KTÓRA JE PRZEKAZUJE**

momentem jego przekazania. Wszyscy potrzebujemy nauczyć się chodzić w mądrości i wierze. Te cechy nie wykluczają się wzajemnie, lecz stanowią zgrany duet.

OBSZAR 2 ⇒ DUCH PROROCTWA

Duch proroctwa to namaszczenie Ducha Świętego, które umożliwia mężczyznom i kobietom, którzy nie mają daru proroctwa lub nie sprawują urzędu proroka, przemawianie pod natchnieniem Boga. Wielokrotnie byłem w sytuacjach, w których ludzie bez szczególnie widocznego daru proroctwa, wygłaszali proroctwa, gdy w zgromadzeniu obecne było namaszczenie do służby proroczej. Często proszę dzieci z naszego kościoła, by modliły się nade mną, gdy mam jakąś konkretną potrzebę, albo gdy zwyczajnie potrzebuję usłyszeć słowo od Boga. Wiele razy zdarzało się, że czułem na ramieniu łagodny dotyk małej dłoni, a delikatny głosik wypowiadał Boże słowa nad moim życiem. Wierzę w to i widziałem to na własne oczy, że gdy Duch proroctwa jest obecny, każdy może prorokować, nawet małe dzieci.

W 1Sm 10:9-11 widzimy jak król Saul prorokował, kiedy przebywał z grupą proroków. W 1Kor 14:31 Paweł mówi, że *wszyscy mogą prorokować*, gdy jest obecne namaszczenie prorocze. Jednak może się to spotkać z błędnym zrozumieniem i zastosowaniem, szczególnie gdy duchowo niedojrzali wierzący mają nonszalanckie podejście do proroctwa. Równie niepokojąca jest sytuacja, kiedy poszczególne osoby wykorzystują dar proroctwa, by skierować na siebie światło reflektorów, szukając tym samym sławy i bogactwa.

Przez lata służby zauważyłem, że autentyczne proroctwo zawsze wskazuje na Jezusa, a nie na osobę, która je przekazuje. Księga Objawienia przedstawia sytuację, w której anioł wskazuje na Jezusa jako jedynego, który jest godzien czci, gdy tylko Jan upadł na ziemię, by oddać mu pokłon:

> *Wtedy upadłem do jego stóp, by mu się pokłonić. Lecz on mnie powstrzymał: Nie rób tego! – powiedział. – Jestem współsługą twoim oraz twoich braci, którzy mają świadectwo Jezusa. Pokłon oddaj Bogu! A tym świadectwem Jezusa jest duch proroctwa.*

Objawienie św. Jana 19:10

OBSZAR 3 ⇨ DAR PROROCTWA

Dar proroctwa jest właśnie… tym darem. W 1Kor 12:4-10 czytamy: *Dary łaski są różne, ale Duch – ten sam (…) Jeden za Jego pośrednictwem otrzymuje słowo mądrości. Drugi, w podobny sposób, otrzymuje słowo poznania. Jednemu duch daje wiarę. Drugiemu ten sam Duch udziela darów uzdrowień. Przez jednego przejawia się moc, przez drugiego proroctwo. Jeden potrafi rozpoznawać duchy, drugi mówić różnego rodzaju językami. Kto inny z kolei potrafi je wyłożyć.*

Proroctwo jest darem udzielanym przez Ducha Świętego. Ogólna praktyka podpowiada, że ludzie, którzy otrzymali dar proroctwa, przekazują słowa proroctwa bardziej regularnie. I z czasem ci, którzy są z nimi w jednej wspólnocie, zauważają pewną spójność, częstotliwość i trafność słów proroczych, które wypowiadają.

Ludzie często pytają mnie: „Ale po co nam proroctwo, skoro mamy Pismo?". Choć co prawda, proroctwo nigdy nie może zastąpić Pisma, to Apostoł Paweł w 1Kor 14:1-3 jasno wymienia co najmniej trzy powody funkcjonowania daru proroctwa: *Zabiegajcie o miłość, i gorąco pragnijcie duchowych darów, a najbardziej tego, żeby prorokować (…) Kto natomiast prorokuje, mówi do ludzi, dla ich zbudowania, zachęty i pociechy.* Niektórzy wierzący otrzymują dar proroctwa, by przez Ducha Świętego przynosić do wspólnoty słowo od Boga i przez to budować, zachęcać i pocieszać Boży lud.

OBSZAR 4 ⇨ URZĄD PROROKA

Ostatnim obszarem proroctwa jest urząd proroka. W nowotestamentowym kościele w Antiochii mężczyzna o imieniu Hagabos[3] był uznawany za proroka z powodu swoich **objawień i wizji** (Dz 21:10). Uważam, że sfera przekazywania słów o tym, co ma się wydarzyć w przyszłości, i sfera potwierdzania powołania do służby przez nałożenie rąk podczas posługi proroczej przede wszystkim powinny leżeć w gestii tych, którzy sprawują urząd proroka. W Liście do Efezjan znajdujemy dwa główne opisy wyjaśniające rolę tej służby:

> *Tak więc nie jesteście już obcymi, przybyszami, lecz współobywatelami świętych i domownikami Boga. Stoicie na fundamencie apostołów i proroków. Jego kamieniem węgielnym jest Chrystus Jezus.*

> **List św. Pawła do Efezjan 2:19-20**

---

[3] W wielu polskich przekładach Pisma Świętego: *Agabos* (np. Biblia Tysiąclecia) lub *Agabus* (np. Biblia Warszawska) – *przyp. red.*

*On też uczynił jednych apostołami, drugich prorokami, innych
ewangelistami, jeszcze innych duszpasterzami i nauczycielami.
Uczynił to po to, by wyposażyć świętych do spełniania właściwych im zadań, do budowania ciała Chrystusa.*

List św. Pawła do Efezjan 4:11-12

Prorok pracuje u boku apostoła, by kłaść fundamenty lokalnego
kościoła. Urząd proroka jest jednym z darów łaski wspomnianych
w Liście do Efezjan, obok apostoła, ewangelisty, duszpasterza i nauczyciela – by wyposażać Bożych ludzi do służby. Prawdziwi prorocy nie kierują uwagi na siebie; czerpią radość z przekazywania słowa
Boga innym, by ci mogli służyć proroctwem następnym (jeśli właśnie to jest obszarem ich służby). Zaczynam się niepokoić, gdy słyszę
jak młody duszpasterz sam siebie nazywa prorokiem czy apostołem,
i zachowuje się przy tym mało dojrzale. Zdecydowanie bardziej wolę,
gdy młody mężczyzna czy młoda kobieta traktuje siebie jako osobę
uczącą się poruszać w prorockim czy apostolskim namaszczeniu.
Lepiej zostawić innym przywilej potwierdzenia w nas obdarowań,
bo dzięki temu zburzymy diabelski plan wbicia nas w pychę. Warto
jednak pamiętać, że drugą stroną tego medalu jest fałszywa poko-
ra. Nie trzeba przepraszać za coś, co Bóg robi w twoim życiu. Jeśli
o mnie chodzi, chcę śmiało przychodzić przed tron Boga, by potem
móc z pokorą służyć innym ludziom.

Pozwólcie, że krótko podsumuję w punktach to, o czym do tej pory
mówiliśmy.

1. Autentyczne proroctwa muszą być w zgodzie z Biblią – nie
   mogą stać w sprzeczności ze Słowem Bożym (2P 1:20-21;
   1Kor 4:37).

2. Kiedy Duch proroctwa jest obecny, każdy może prorokować (1Kor 14:31).

3. Choć możemy pragnąć darów duchowych, to Duch Święty
jest tym, który ich udziela (1Kor 12:11).

4. Nie każdy, kto prorokuje, jest prorokiem. Biblia jasno mówi,
że tylko niektórzy ludzie są powołani do tego, by być prorokami Pana i sprawować urząd proroka (Ef 1:11-13).

5. Niektóre proroctwa dotyczą zapowiedzi, co ma się wydarzyć w przyszłości.

6. Niech ci, którzy prorokują, robią to jednocześnie z odwagą
i w pokorze.

Chociaż proroctwo może dotyczyć zapowiedzi tego, co ma się
wydarzyć w przyszłości, to jest czymś dużo szerszym i głębszym,
niż tylko to. Żyjemy w czasach, kiedy wielu ludzi jest przytłoczo-
nych i zniechęconych. Podupadająca
gospodarka, wojny, głód, rozwody,
uzależnienia i upadek moralny w spo-
łeczeństwach nie pozostają bez wpływu na naszą emocjonalną i duchową
kondycję. Podziały i rozczarowania
osłabiają nasze rodziny i kościoły. Jak
mówi Frank Damazio, *ludzie potrzebują trzech rzeczy, które mieszczą się rów-
nież w czterech obszarach proroctwa: zbudowania, zachęty i pociechy*[4].
Jeśli służba prorocza funkcjonuje zgodnie z zasadami biblijnymi,
kościół doznaje takiej samej zachęty, o jakiej czytamy w Dziejach

> **JEŚLI SŁUŻBA PROROCZA
> FUNKCJONUJE ZGODNIE
> Z ZASADAMI BIBLIJNYMI,
> KOŚCIÓŁ DOZNAJE TAKIEJ SAMEJ
> ZACHĘTY, O JAKIEJ CZYTAMY
> W DZIEJACH APOSTOLSKICH**

---

[4] *Ibid.*

Apostolskich. Podam przykład z własnego doświadczenia. Kilka lat temu podczas posługi proroczej pastor Brady Boyd przekazał mi proroctwo, że mój kościół wkrótce wkroczy w okres wielkiej reorganizacji i zmian. To słowo wyraźnie wypełniło się w ciągu następnych miesięcy, a my byliśmy zachęceni tym, że wszystko, co się działo, potwierdzało słowo, które Bóg wcześniej do nas skierował.

W Dz 13:1-3 czytamy o nowotestamentowym przykładzie posługi proroczej, która wiąże się z potwierdzaniem powołania i nakładaniem rąk na liderów – tutaj chodziło o Pawła i Barnabę. Podczas corocznej posługi proroczej w naszym kościele obserwowaliśmy podobny wzorzec – mężczyźni i kobiety otrzymywali potwierdzenie swojego powołania, wierzący znajdowali odwagę, by podjąć właściwe kroki wiary.

Micah i Cindy są małżeństwem, które uczęszcza do naszego kościoła. Rosło w nich przekonanie, że Bóg powołał ich do pracy misyjnej na Tajwanie. Wspólnie postanowili, że będą się modlić i prosić Pana, by posłał przez kogoś proroctwo, które albo potwierdziłoby, że to, co wypełnia ich serca, jest wolą Boga, albo pomogłoby im zobaczyć, że się mylą. Potrzebowali jasnego **tak** lub **nie**! Podczas jednego ze spotkań otrzymali słowo prorocze od Pastora Toma Lane'a, które potwierdziło ich pragnienie, by wyjechać i służyć w innym kraju (Pastor

PROROCZE WEJRZENIE W TO, GDZIE, KIEDY I DO KOGO JESTEŚMY POSŁANI, MA OGROMNĄ WARTOŚĆ

Tom wspomniał o tym w poprzednim rozdziale). Słowo przyszło w formie jasnego komunikatu, którego potrzebowali, od proroka, który nie miał **żadnej wiedzy** o treści ich modlitwy! Słowo było proste: „Tak, to ja was prowadzę. Tak, teraz jest czas. I tak, będę wam błogosławił!". Wkrótce po tym, jak otrzymali słowo, otworzyły się dla nich drzwi do pracy misyjnej. Ruszyli przed siebie, by cieszyć się owocnym okresem służby na Tajwanie.

Gdy Micah i Cindy pracowali w kościołach na Tajwanie, zmagali się z pokusą, która po pewnym czasie dopada większość misjonarzy, by poddać się zniechęceniu. Mimo że potrzeba zbawienia była ogromna, czuli, że postępy przychodzą zbyt wolno. W tym okresie znajdowali zachętę, czytając Pismo i wspominając wypowiedziane do nich słowa prorocze. Słowo i Duch płynęły ze sobą w zgodzie, podczas gdy oni wołali do Boga w modlitwie. Słowo Pisma i słowo prorocze służyły im pomocą w walce wiary, jaką toczyli. Tak jak Tymoteusz, którego Apostoł Paweł pouczał w liście (1Tm 1:18-19).

Wszyscy chrześcijanie są powołani do bycia misjonarzami. Wielki Nakaz Misyjny z Mt 28:18-20 jasno określa nasze powołanie jako wierzących. Nasze powołanie może nas zaprowadzić do Tajwanu, Tybetu, miejscowego supermarketu albo do sąsiadów mieszkających w domu obok. Oto dlaczego prorocze wejrzenie w to, gdzie, kiedy i do kogo jesteśmy posłani, ma ogromną wartość. To także kolejny powód, dla którego wróg naszej duszy nie chce, żebyśmy przyjmowali słowa prorocze. Wie, że mogą nam pomóc toczyć dobrą walkę wiary, służby i duszpasterstwa. To naprawdę jest **dobra** walka, bo wiemy, że na końcu czeka nas zwycięstwo!

Zdrowy duchowo kościół w każdym czasie będzie miał w swoich szeregach ludzi na różnych poziomach dojrzałości. Część z nich to nowo narodzeni chrześcijanie, którzy dopiero zostali zbawieni. Inni od lat wiernie służą w kościele. Jeszcze inni być może obronili doktorat z teologii. Podobnie jest w służbie proroczej. Niektórzy dopiero zaczynają rozumieć, że Pismo to opowieść Boga spisana przez ludzi poruszonych przez Ducha Świętego. Inni mogą przekazywać proroctwo w konkretnym momencie, kiedy przynagla ich do tego Duch Święty. Jeszcze inni regularnie manifestują dar proroctwa jako przejaw służby, którą Bóg wyznaczył im we wspólnocie wierzących. W końcu są też ci święci wybrani na dany czas, którzy zostali rozpoznani poza swoją własną wspólnotą wierzących jako powołani do służby proroczej – to typ proroka, który wyposaża innych, jak czytamy w Ef 4:11-12.

Całkiem sporo podróżuję po świecie i muszę przyznać, że dostrzegam, jak słowa proroctwa Smitha Wiggleswortha stają się rzeczywistością. Przez całe lata miałem wrażenie, że większość wspólnot, do których mnie zapraszano, była przede wszystkim skupiona albo na rozumieniu Pisma, albo na korzystaniu z darów duchowych. Rzadko trafiałem na kościół, który potrafił zachować równowagę między jednym a drugim. Jednak ostatnio zaczynam zauważać, jak Słowo i Duch płyną razem w bardziej naturalny sposób. Darom Ducha, takim jak proroctwo, towarzyszy dziś nauczanie Słowa, by wyposażyć świętych do służby. Kiedyś sytuacje, gdy nauczanie i prorokowanie występowały w obrębie jednej wspólnoty kościelnej, w zasadzie się nie zdarzały lub należały do rzadkich wyjątków. Ale coś się zmienia. Łączenie Słowa i Ducha staje się codzienną częścią życia wielu wspólnot. To naprawdę „małżeństwo" zawarte w niebie. Często opisujemy nasz kościół jako „ewangeliczny (oparty na Biblii) i charyzmatyczny", i przewiduję, że w nadchodzących dniach zobaczymy wiele kościołów działających w podobny sposób.

Kościoły przechodzą przez różne chwile. W pewnych okresach wody życia kościoła mogą zostać nieco wzburzone, tak jak się to dzieje w miejscach, gdzie zbiegają się dwie rzeki. Ale gdy będziemy się poruszać w dół rzeki, zachowując jedność i równowagę, to wierzę, że zobaczymy spokojniejsze wody, które pozwolą na objawienie się dzieł Bożych w świeży i potężny sposób.

3
ROZWAŻANIE PROROCTWA
Wayne Drain

*Prorocy podobnie, niech usłużą dwaj lub trzej,
a inni niech to dokładnie rozważą.*
1Kor 14:29

Mój kościół powstał we wczesnych latach 70-tych w czasach działalności ruchu Jesus Movement[5] w Stanach Zjednoczonych. Wśród członków naszego kościoła byli głównie uczniowie szkół średnich i studenci. Gdy w wieku 20 lat zostałem wybrany jako starszy, byłem jednym z najstarszych członków grupy! Mieliśmy ogromną pasję dla Jezusa i w tych niezwykłych dniach widzieliśmy wiele wspaniałych cudów zbawienia i uzdrowienia. Koncentrowaliśmy się głównie na uwielbieniu, chrzcie w Duchu Świętym i dzieleniu się dobrą nowiną o Jezusie. I chociaż pałaliśmy wielką gorliwością, to nie mieliśmy zbyt wiele mądrości. Było wśród nas co najwyżej kilku biblistów, jeśli w ogóle. Nie trzeba dodawać, że z im większym zapałem służyliśmy Bogu i im gorliwiej kochaliśmy

---

[5] Ruch chrześcijański zapoczątkowany pod koniec lat 60-tych na zachodnim wybrzeżu Stanów Zjednoczonych, który rozprzestrzenił się na obszarze Ameryki Północnej i w Europie – *przyp. red.*

ludzi, tym więcej i szybciej musieliśmy się uczyć. Ale Bóg był dobry i obficie wylewał na nas swoją łaskę i miłosierdzie.

Pamiętam, że jednym z pierwszych wyzwań, jakie stanęły przede mną jako starszym i pastorem tej grupy, było odniesienie się do słowa proroctwa, które zostało przekazane podczas pewnego spotkania. Piękna młoda dziewczyna zdecydowała się prorokować nad samą sobą. Wstała, położyła dłoń na swojej głowie i powiedziała coś w rodzaju: „Odwagi, córko Pana! Ten, którego wybrałem, by był twoim mężem, jest blisko… nawet teraz! Jest ubrany w czerwoną, kraciastą koszulę i ma długie bokobrody. Nie był mi tak posłuszny jak ty, moja córko. Ale wkrótce przyjmie moje słowo i poprosi cię o rękę". Po tych słowach usiadła na krześle z błogim wyrazem zadowolenia na twarzy. Zauważyłem siedzącego obok niej młodego człowieka w czerwonej koszuli w kratę i z długimi, modnymi bokobrodami. Pot zaczynał spływać mu po przerażonej twarzy. W tamtym czasie nie wiedziałem zbyt wiele o prorokowaniu, poza tym, że było to coś, co robili chrześcijanie w Dziejach Apostolskich, które właśnie czytaliśmy w naszej wspólnocie. Ale coś w sercu mówiło mi, że w tym konkretnym przypadku chodziło bardziej o pragnienie niż prorokowanie.

Poczekałem do końca spotkania i zapytałem, czy mógłbym z nimi porozmawiać na osobności. Pamiętam, że powiedziałem: „No więc, to **mogło** być słowo od Boga, ale podejrzewam, że było to raczej słowo od Julii" (to nie jest prawdziwe imię tej dziewczyny). Powiedziałem temu młodemu mężczyźnie, że nie mam przekonania, by musiał koniecznie być posłuszny temu słowu, skoro mogło ono wynikać głównie z ludzkich pobudek. Zasugerowałem, by szukał

> SĄ BŁĘDY, KTÓRE POPEŁNIA SIĘ W IMIĘ PROROCTWA, ZWŁASZCZA WTEDY, GDY POZWALAMY, BY KIEROWAŁY NAMI NASZE PRAGNIENIA I EMOCJE

Pana i rady ludzi, którym ufał, i upewnił się, że uważnie rozważył to słowo. Młoda dziewczyna wyglądała na nieco zawiedzioną. Za to chłopakowi wyraźnie ulżyło! Tamtego dnia nauczyłem się, że są błędy, które popełnia się w imię proroctwa, zwłaszcza wtedy, gdy pozwalamy, by kierowały nami nasze pragnienia i emocje.

W tamtych dniach słyszeliśmy wielu młodych proroków, którzy próbowali rozwinąć skrzydła, używając takich słów, jak: „Tak mówi Pan: tak, tak, tak!". Jeden człowiek powiedział nawet: „Tak mówi Pan... Zapomniałem swojego imienia!". Dość łatwo było rozpoznać, że choć to słowo mogło pochodzić z serca oddanego sługi, to raczej nie pochodziło od Boga. Byłem pewny, że wszechwiedzący Bóg nie zapomniałby imienia! Niemniej jednak, usłyszeliśmy też słowa wiedzy i słowa prorocze, które okazały się bardzo celne i były przekazane od ludzi, o których wiedziałem, że nie mieli żadnej wiedzy na dany temat. Dlatego czułem, że muszę być ostrożny, by – jak mówi przysłowie – nie wylać dziecka z kąpielą. Ale jak miałem się zabrać za rozpoznawanie proroctwa? Co miałem zrobić ze słowami proroczymi, których nie dało się tak łatwo zbadać?

Jako lider musiałem rozsądzać rzeczy, o których nie miałem wielkiego pojęcia. Szybko odkryłem, że ze słowem proroctwa wiąże się też potencjalne zagrożenie – jeśli nie jest konsultowane z mądrymi liderami, którzy są zdolni zbadać sprawę, może się stać zwyczajnie śmieszne, karykaturalne czy wręcz głupkowate. Ale przez lata zauważyłem, że równie niebezpieczna jest sytuacja, w której kościół popada w drugą skrajność i całkowicie odrzuca słowa proroctwa lub zniechęca do praktykowania daru proroctwa.

Zdecydowałem więc, że chwycę za konkordancję biblijną i przeczytam każdy fragment Pisma, który uda mi się znaleźć, a który odnosi się do badania i rozważania proroctw. W pismach Pawła odkryłem, że proroctwo należy badać. Innymi słowy, powinniśmy sprawdzać słowa prorocze. Ale jak miałem to robić? W miarę gdy zagłębiałem się coraz bardziej w studiowanie tego zagadnienia, w 1Ts 5:19-22 odkryłem zasady, które pomogły mi w opracowaniu pewnych wskazówek pomocnych w badaniu i rozważaniu proroctwa: *Ducha nie gaście. Proroctw nie lekceważcie. Wszystko badajcie, a kierujcie się tym, co szlachetne. Trzymajcie się z dala od wszelkiego rodzaju zła.* Apostoł Paweł mówi, że jeśli mamy usługiwać darem proroctwa w taki sposób, który przynosi dobro i zbawienne upomnienie wszędzie tam, gdzie nastąpiło zbłądzenie, musimy pozostawać otwarci, nie będąc jednocześnie naiwni, i musimy rozsądzać, jednocześnie wystrzegając się osądzania. Od tego czasu zawsze starałem się szukać tego, co cenne, i przyczyniać się do tworzenia tego, co wartościowe, jednocześnie rozpoznając i odrzucając to, co bezwartościowe.

Nie chciałbym zbytnio upraszczać tego, co w niektórych sytuacjach dotyczących przekazywania i przyjmowania proroctwa może być bardzo skomplikowane. Jednak czuję, że to ważne, bym podzielił się tym, czego się nauczyłem i co wcieliłem w życie. Oto cztery wskazówki pomocne w badaniu i rozważaniu proroctwa, które stosuję od dłuższego czasu.

WSKAZÓWKA 1

W 1Kor 12:11 czytamy, że dar proroctwa sprawia Duch Święty – według Jego woli. Boże Słowo zachęca nas do tego, żebyśmy pragnęli darów duchowych, szczególnie daru prorokowania (1Kor 14:1), ale to nie my decydujemy, który dar otrzymamy. Dary Ducha nie pochodzą z ludzkiego ducha; one pochodzą od Ducha Świętego. Człowiek nie może więc ich posiąść lub kierować nimi według swojej woli. Te dary przychodzą, **gdy chce tego Duch Święty.**

Mam dwie córki i syna, a oni mają już swoich małżonków. Kiedyś prorokowałem nad młodym mężczyzną, który spotykał się z jedną z moich córek. Nie miałem zamiaru przekazywać zachęcającego słowa proroczego chłopakowi własnej córki. Upatrywałem swoją rolę ojca raczej w tym, by wzbudzać trwogę, a nie zachętę! Mimo wszystko czułem przynaglenie od Ducha Świętego, by podzielić się pewnym słowem, więc to zrobiłem. Byłem bardzo zbudowany, gdy jakiś czas później ten młody człowiek powiedział mi, że czuł w tym wszystkim obecność Pana. (A teraz wszystkie karty na stół... Ten młody człowiek jest moim zięciem).

To ważne, by zrozumieć również i ten fakt, że są ludzie, którzy dysponują czymś w rodzaju „daru czytania innych ludzi", i często wykorzystują ten dar, by przez manipulację dostać się do ich portfeli. Ich dar jest imitacją autentycznego daru Ducha Świętego. Przykładem takiej imitacji są ci, którzy praktykują wróżbiarstwo czy różne dziedziny parapsychologii. I tak jak ci, którzy są szkoleni do wykrywania fałszywych pieniędzy przez wnikliwe oglądanie oryginałów, my również musimy szkolić siebie samych do wykrywania autentycznego proroctwa, poznając dokładnie oryginał.

Oto kilka oznak autentycznego proroctwa:

- ✓ przynosi **pocieszenie** i **zachętę**,

- ✓ buduje, pobudza i rozwesela; w 1Kor 14:3 czytamy: *Kto natomiast prorokuje, mówi do ludzi, dla ich zbudowania, zachęty i pociechy,*

- ✓ nigdy nie będzie stało w sprzeczności z regułami Pisma; 2Tm 3:16 poucza nas: *Całe Pismo natchnione jest przez*

Boga i pożyteczne do nauki, do wykazania błędu, do po-
prawy, do wychowywania w sprawiedliwości.

Kiedy ludzie przekazują słowo proroctwa, które nie stoi w zgodzie ze Słowem Bożym, powinniśmy być ostrożni. A jeśli pada ono podczas publicznego spotkania, powinno zostać skorygowane. Za przykład może tu służyć proroctwo dotyczące dokładnej daty powtórnego przyjścia Jezusa, podczas gdy Jezus sam powiedział jasno: *Tego dnia natomiast ani tej godziny* **nikt nie zna**: *ani aniołowie w niebie, ani Syn – tylko Ojciec* (Mt 24:36, wyróżnienie dodane). Duch Święty **nigdy** nie pobudzi nikogo do wypowiedzenia słowa proroczego, które jest sprzeczne z Pismem.

Kilka lat temu podszedł do mnie mężczyzna i podziękował mi za to, że nauczyłem go słuchać głosu Boga. Powiedział, że nie był posłuszny Panu, ale teraz usłyszał Go wyraźnie i miał zamiar dokonać pewnych zmian, by być posłusznym temu, co usłyszał. Powiedział mi, że poczuł, jak Bóg mówi do niego, że poślubił niewłaściwą kobietę, a ta, którą Bóg naprawdę zamierzał dać mu za żonę, jest jego sekretarką. Powiedział mi też, że właśnie zamierza rozpocząć procedurę rozwodową! Kiedy skończył opowiadać i znów zabrał się za dziękowanie, przerwałem mu i powiedziałem, że nie mam wątpliwości co do tego, że słyszał głos, ale nie był to głos Pana. Kiedy zapytał, dlaczego tak uważam, powiedziałem jasno: „Ponieważ słowo prorocze **nigdy** nie sprzeciwi się regułom Pisma". Wyjaśniłem mu też, że o ile można znaleźć biblijne powody dla rozwodu, o tyle jego powód zdecydowanie nie mieści się w tych kategoriach! Zachęciłem go, by wrócił do domu, do swojej żony, poprosił ją o przebaczenie, i aby poszukali pomocy. Niestety, zdecydował, że to jednak ja jestem tym, który nie słyszy głosu Boga. Ich małżeństwo się rozpadło. Pozwólcie, że powiem to tak jasno, jak tylko potrafię: **Nie możemy pozwolić, by dar proroctwa zajął miejsce Pisma, modlitwy, pobożnej rady czy kierownictwa Ducha Świętego w naszym życiu.**

WSKAZÓWKA 2

Rozpoznanie proroctwa przychodzi wraz ze zrozumieniem, że celem proroctwa jest uwielbienie Jezusa! W Obj 19:10 czytamy: *A tym świadectwem Jezusa jest Duch proroctwa.* To współgra również z wypowiedzią Jezusa o tym, że Duch Święty przyjdzie i *Mnie uwielbi* (J 16:14). Proroctwo nigdy nie powinno się stać zbyt skoncentrowane na człowieku. Chcę przez to powiedzieć, że proroctwo nie powinno nigdy przynosić większych korzyści czy chwały danej osobie niż sam Jezus. Przykładem mogłoby być wykorzystywanie proroctwa do uzyskania pewnego statusu lub manipulowania ludźmi, by oddali pieniądze lub też przyjęli określone nauczanie. Duch Święty przychodzi po to, by wywyższyć Jezusa, więc prawdziwe proroctwo zawsze będzie przynosić Jemu chwałę.

WSKAZÓWKA 3

Szukaj rady zaufanych dojrzałych przyjaciół, mentorów i duchowych autorytetów. W Prz 13:10 znajdujemy wskazówkę, że mądrość i bezpieczeństwo znajdą szukający mądrej rady. Poproś kogoś zaufanego, kto ma zdolność duchowego rozeznania, by pomógł ci zbadać i rozważyć słowo proroctwa. Rozmawiaj o tym, módl się o to i myśl o tym w sposób, który pozwoli ci przepracować słowo prorocze i otworzy możliwość jego zastosowania.

WSKAZÓWKA 4

Wiem, że dla kogoś może to brzmieć zbyt subiektywnie, ale ostatnia wskazówka, z której korzystam, polega na słuchaniu Tego, który „wie" – Ducha Świętego, który we mnie mieszka. Często mówię ludziom: „Będziesz wiedział w Tym, który wie". Wierzę, że Duch Święty składa świadectwo w nas samych, by pomóc nam rozeznać, czy coś jest dobre, czy złe…, nawet zanim otrzymamy na to pełnoprawny dowód. Paweł pisał o tym w Rz 8:16: *Ten właśnie Duch świadczy wraz z naszym duchem*. Dawid odnosił się do tego samego, gdy mówił o *głębi przyzywającej głębię* (Ps 42:8). Prawdopodobnie miałeś takie momenty w życiu, kiedy to, co się działo lub zostało powiedziane, intuicyjnie wydawało ci się w duchu dobre albo niewłaściwe. Jeśli będziesz słuchał Ducha Świętego w swoim duchu, staniesz się bardziej duchowo dostrojony.

Prawdziwym testem trafności proroctwa jest jego wypełnienie. Jest taka formuła: „jeżeli…, wtedy…", której również używa Bóg: „Jeżeli zrobisz to, wtedy ja zrobię tamto". Ale kiedy słowo zawiera szczegóły takie jak daty, nazwiska czy pewne konkretne rzeczy, które mają się wydarzyć, wtedy albo to coś się dzieje, albo nie. I choć mamy łaskawe podejście do ludzkich pomyłek, to publiczne błędy muszą być publicznie wyjaśnione. Robiąc to, podnosimy wiarygodność każdego autentycznego proroctwa.

Widziałem wielu liderów, którzy po doświadczeniu fałszywego nauczania i zamieszania, które czasem może towarzyszyć proroctwu, woleli unikać jakiegokolwiek kontaktu z proroctwem, zakazując jego praktykowania w swoich kościołach. Jednak przez lata odkryłem, że ludzie są głodni autentycznego daru proroctwa. Jedno słowo od Boga dotyczące sytuacji w naszym życiu zmienia wszystko. Widziałem również niewierzące osoby, które nieświadome dotychczas istnienia daru proroctwa, przychodziły do Pana po zbawienie bezpośrednio w odpowiedzi na słowo prorocze. W 1Kor 14:24-25 Paweł opisuje nabożeństwo, podczas którego prorokowano: *Jeśli natomiast wszyscy prorokują, a wejdzie niewierzący lub słabo obeznany, i wszyscy się na nim skupią, dokładnie zbadają, a przy tym wyjdą na jaw sprawy ukryte głęboko w sercu, to może się zdarzyć, że upadnie na twarz, złoży pokłon Bogu i wyzna: Rzeczywiście Bóg jest między wami.*

Eddie Hyatt w książce „2000 Years of Charismatic Christianity" (2000 lat charyzmatycznego chrześcijaństwa) pisze: *By jak najwięcej skorzystać z proroctwa, musimy unikać zarówno skrajnego kontrolowania, jak i braku kontroli służby proroczej. Zbyt kontrolujące podejście całkowicie zgasi dar, podczas gdy brak kontroli nieuchronnie prowadzi do błędów, nadużyć i katastrofy*[6]. Jako pastor i lider uwielbienia muszę przyznać, że nie zawsze łatwo jest osiągnąć tę równowagę.

Pastor John Wimber powiedział kiedyś: *Czasem Bóg gorszy nasz umysł, by ujawnić nasze serce*[7]. Są takie momenty, kiedy natychmiast dostrzegamy znaczenie słowa proroczego dla naszego życia, i łatwo wtedy ufać Bogu, bo od razu zrozumieliśmy przesłanie. Ale czasami, gdy trudno jest zrozumieć, co znaczy słowo prorocze, dobrze jest pójść za przykładem Marii, matki Jezusa, kiedy Gabriel ogłosił jej słowo od Boga – zatrzymać słowo w swoim sercu i ufać Bogu, który albo potwierdzi słowo, albo pozwoli, by okazało się niecelne.

Nie unikaj badania proroctw, które są wypowiadane publicznie, ale rozsądzaj nie osądzając. Używaj wskazówek, które zawarliśmy

---

[6] Eddie Hyatt, *2000 Years of Charismatic Christianity*, Eddie Hyatt International Ministries, Inc., Tulsa, Oklahoma 1996.

[7] John Wimber, Kevin Springer, *Power Evangelism*, Regal Books, Gospel Light, Ventura, California 2009.

w tym rozdziale, by chronić Boże objawienie w twojej wspólnocie. Kiedy jesteś świadkiem proroctwa i zgadzasz się ze słowem, możesz wesprzeć i zachęcić tego, który je przekazał. Ale kiedy pada słowo, którego nie jesteś pewien, to uważnie je zbadaj, rozważ i rozsądź, porozumiewając się łagodnie i otwarcie z osobą, która przekazała słowo, i z tym, kto je otrzymał. Jesteś do tego zobowiązany, jeśli jesteś pastorem, starszym czy liderem, ale także gdy jesteś przyjacielem czy mentorem osoby, która przekazywała słowo. Jeśli czujesz, że nie możesz się zgodzić z wypowiedzianym słowem czy kwestionujesz je jako proroctwo, powinieneś to zrobić tak łagodnie, jak to tylko możliwe, z pokorą i troskliwością. Powinieneś zawsze postępować w sposób, który chroni godność innych. Kiedy jesteś liderem w tym obszarze służby, pamiętaj o swoich pomyłkach z przeszłości. To zapewni ci większe współczucie, gdy będziesz kierował zespołem usługującym słowem proroctwa i korygował tych, którzy służą proroctwem. Dzięki Bogu za jego niesamowitą łaskę i za to, że mówi dziś do nas przez swojego Ducha Świętego!

CZĘŚĆ 2

Cel nowotestamentowej służby proroczej

4

WYPOSAŻAĆ DO SŁUŻBY I DUSZPASTERSTWA

Tom Lane

N asza relacja z Bogiem wiąże się z celem, który jest wieczny, i z odpowiedzialnością, którą dziś trzeba się wykazać. Każdy sługa Boga jest odpowiedzialny za odnalezienie własnego, pożytecznego miejsca służby dla Boga w Jego Królestwie. Paweł opisywał ten proces w swoim liście do kościoła w Efezie:

On też uczynił jednych apostołami, drugich prorokami, innych ewangelistami, jeszcze innych duszpasterzami i nauczycielami. Uczynił to po to, by wyposażyć świętych do spełniania właściwych im zadań, do budowania ciała Chrystusa, aż dojdziemy wszyscy do jedności wiary i pełnego poznania Syna Bożego, do doskonałości właściwej dla dojrzałych, i dorośniemy do wymiarów pełni Chrystusowej. Chodzi bowiem o to, abyśmy już nie byli dziećmi, rzucanymi przez fale i unoszonymi przez każdy powiew nauki będącej w rzeczy samej wyrazem ludzkiego oszustwa i sprytu w posługiwaniu się zwodniczymi metodami.

List św. Pawła do Efezjan 4:11-14

W latach 70-tych i 80-tych, gdy byłem młodym wierzącym, widziałem taki rodzaj służby w kościołach, który nie do końca zgadzał się z tym, jak postrzegałem nowotestamentowy model wzrastającego kościoła. Zwykle była to służba nie związana z żadnym konkretnym lokalnym kościołem. Wędrowni kaznodzieje i prorocy podróżowali i usługiwali w wielu kościołach, ale nie byli częścią żadnego z nich i w żadnym nie byli zaangażowani jako jego liderzy.

Zwykle przyjeżdżali z wizytą do kościołów, które stały już na krawędzi. A oni mieli być reprezentantami Boga przekazującymi wiadomość bezpośrednio od Niego. Treść ich przesłania często zawierała upomnienie, a głównym celem ich służby było obnażenie grzechu i przekazanie słowa od Boga wzywającego swoje krnąbrne dzieci do powrotu do bliskiej społeczności z Nim. Szczerze mówiąc, służba prorocka wyglądała jak zaplanowane w kalendarzu porządne lanie od Boga… – nic przyjemnego, ale wydawało się być konieczne. Za każdym razem, gdy ci prorocy odjeżdżali, nie czułem się ani zbudowany, ani wyposażony do służby. W moich myślach pojawiało się zwykle coś w tym rodzaju: „Uff, cieszę się, że mamy to już za sobą!". Nikt nigdy nie pokazał mi, na czym polega różnica między modelem służby proroczej w Starym Testamencie a modelem służby proroczej opisanym w Nowym Testamencie.

Na początku Księgi Dziejów Apostolskich czytamy, że uczniowie zgromadzili się w Wieczerniku, oczekując obiecanego przyjścia Ducha Świętego. Znamy to wydarzenie pod nazwą Zielonych Świąt, ale to było coś o wiele więcej niż tylko spotkanie grupy wierzących z Bogiem, z ognistymi językami nad ich głowami i mówieniem obcymi językami. Duch Święty został celowo posłany przez Jezusa właśnie po jego zmartwychwstaniu – by napełnić Bożą obecnością każdego wierzącego. I stało się to dla korzyści **każdego** wierzącego – Duch Święty przyszedł i zamieszkał w ich sercach, by przynieść

Bożą obecność każdemu z nich. I to przez działanie Ducha Świętego Jezus zesłał na nich dary łaski i działał w nich i przez nich, by dalej wpływać na świat. Stała obecność Ducha Świętego w życiu każdego wierzącego zmieniła funkcję starotestamentowego urzędu proroka i w Nowym Testamencie nadała mu inną rolę. W Starym Testamencie Boża obecność nie mieszkała w ludziach, ale w Jego świątyni. Bóg porozumiewał się z ludźmi przez swoich wybranych reprezentantów, jak sami prosili Go o to na Górze Synaj (2Mż 20:18-21). W Nowym Testamencie Duch Święty przyniósł

> **POTRZEBA OBJAWIENIA, WIARY, ZROZUMIENIA I KIEROWNICTWA DUCHA ŚWIĘTEGO, BY ZNALEŹĆ WŁAŚCIWE SŁOWA W KONKRETNYM MOMENCIE, BY POTWIERDZIĆ TO, CO BÓG ROBI LUB MÓWI**

Bożą obecność wszystkim wierzącym – prowadząc ich do całej prawdy, kierując ich na ścieżki, którymi powinni iść, i przekonując ich o grzechu, sprawiedliwości i sądzie. Nie było już więcej potrzeby, by prorok wypełniał te poszczególne funkcje.

Ogólnie mówiąc, starotestamentowi prorocy byli zwykle oddzieleni od reszty populacji i codziennego życia narodu. Pozostawali z boku, by móc bezkompromisowo ogłaszać narodowi i jego liderom Boże niezadowolenie oraz obnażać ich grzechy i wzywać do pokuty[8]. Biblia często wspomina, że z tego powodu prorocy spotykali się z oporem, byli odrzucani, a nawet zabijani. W przeciwieństwie do tego, prorocy Nowego Testamentu należeli do wspólnoty wierzących. Jako część tej wspólnoty byli częścią życia i przywództwa kościoła. W miarę jak każda osoba rozwijała się w służbie Bogu i ludziom,

---

[8] Fenomen proroctwa starotestamentowego jest o wiele bardziej złożony niż zostało to tutaj przedstawione. Należy też pamiętać, że mimo pobrzmiewającej w przesłaniu proroków starotestamentowych zapowiedzi kary, i oni mówili ku **zbudowaniu** Izraela – por. np. Jr 1:10. Autor tego rozdziału skupia się na proroctwie nowotestamentowym, nie przedstawia więc pełnego obrazu proroctwa starotestamentowego – *przyp. red.*

i praktykowała swoje dary, także przejawy proroctwa stały się częścią kościoła.

W pierwszym Liście do Koryntian Apostoł Paweł mówił o darach Ducha Świętego i przejawach tych darów wewnątrz wspólnoty wierzących. W rozdziale 14. zachęcał wierzących, by mocno i żarliwie pragnęli wszystkich darów Ducha, ale szczególnie daru proroctwa. Powodem tej zachęty była jego świadomość tego, co przynosi ze sobą proroctwo – buduje, zachęca i pociesza wierzących i cały Kościół. Potrzeba objawienia, wiary, zrozumienia i kierownictwa Ducha Świętego, by znaleźć właściwe słowa w konkretnym momencie, by potwierdzić to, co Bóg robi lub mówi. Potrzeba też wiary i inspiracji, by wypowiadać słowa, które wyznaczają kierunek i usuwają zamęt w określonej sytuacji w życiu jakiejś osoby czy całego kościoła.

Księga Dziejów Apostolskich daje nam obraz pracy proroków w kościele. Skończył się czas, kiedy prorocy przebywali poza obozem, przemawiając do wspólnoty wierzących. Teraz byli już częścią wspólnoty, pracując ręka w rękę z tymi, którzy korzystali z innych darów, by wspólnie umacniać i zachęcać kościół (Dz 11:27; 13:1; 15:32; 21:10; 1Kor 14:31). Byli członkami jednej drużyny, zgromadzili się razem w jednym celu – by wyposażać świętych do spełniania właściwych im zadań, by każdy mógł dojrzewać i wzrastać do służby Bogu i ludziom (Ef 4:12). Paweł porównał działanie Kościoła z funkcjonowaniem ludzkiego ciała – każdy członek odzwierciedla część ciała, a wszystkie części są potrzebne do tego, by ciało właściwie funkcjonowało (1Kor 12:14).

Postrzegamy działanie daru proroctwa w Kościele i w życiu wierzących w bardzo konkretny sposób.

1. Służba prorocza rozpoznaje dary i powołania.

Biblia jasno mówi o tym, że Bóg dał każdemu człowiekowi

dary, które mają być używane w służbie dla Niego. W 1Tm
4:14-16 Paweł poucza nas, mówiąc:

> *Nie zaniedbuj swego daru łaski, który został ci dany na
> podstawie proroctwa przez włożenie rąk grona star-
> szych. O to zabiegaj i temu się poświęcaj, aby twoje po-
> stępy były widoczne dla wszystkich. Pilnuj siebie samego
> i nauki. Trwaj przy tych sprawach, gdyż czyniąc to, sa-
> mego siebie zbawisz oraz tych, którzy cię słuchają.*

Odkrycie i zastosowanie darów, które otrzymaliśmy od
Boga, to proces **trwający całe życie**. Dla każdego, kto szczerze
chce poznać Boga i wypełniać Jego wolę, to zawsze zachęcające i ekscytujące doświadczenie, gdy specyficzne zastosowanie
tych darów w jego życiu może być rozpoznane i potwierdzone.
Gdy ktoś inny niż ty sam rozpoznaje i potwierdza twoje zdolności czy miejsce służby, to może przynieść ogromne poczucie
pewności i pokoju.

Przytrafiło się to Tymoteuszowi, gdy Apostoł Paweł przypominał mu o jego darze w swoim liście. I to wciąż zdarza się
dzisiaj. Byłem kiedyś w zespole usługującym darem proroctwa
i mieliśmy słowo do pewnego małżeństwa. Nie znaliśmy ich,
ale rozpoznaliśmy w nich powołanie do służby z konkretnym darem administracji i powiedzieliśmy im to, co przekazywał nam Duch Święty. To słowo zgadzało się z pewnym
przekonaniem, które to małżeństwo już miało, z tym, co Bóg
mówił do nich w ich sercach, a nasze prorocze potwierdzenie przyniosło im pokój i pewność. Nie wiedzieliśmy, że ten
mężczyzna rozmawiał wcześniej z liderami kościoła o tym, by
odejść z dotychczasowej pracy i podjąć pracę administracyj-
ną w kościele. To małżeństwo szukało Bożego potwierdzenia

zmiany kierunku z kariery biznesowej do służby w kościele. Dzięki służbie prorockiej otrzymali solidne potwierdzenie prosto z nieba!

2. Służba prorocza rozjaśnia kierunek życia i służby kościoła i poszczególnych osób.

Nasze codzienne życie jest pełne ryzyka i niebezpieczeństw. Za pomocą naszych zmysłów trudno jest nam rozpoznać wszystko, co czeka na nas przy każdej okazji, którą napotykamy na drodze. Czy czeka nas sukces, czy porażka? Czy to Boża wola, czy nie? Czy powinienem przyjąć tę posadę? Czy powinienem przeprowadzić się do tego miasta? Czy powinienem przyjąć tę służbę? Życie jest pełne nieuniknionych i ważnych pytań, które domagają się odpowiedzi. Może nie często rozpatrujemy te pytania w kontekście życia i śmierci, ale to dlatego, że zwykle koncentrujemy się tylko na jednym wymiarze – fizycznym. I choć jest on bardzo ważny, to co z wymiarem duchowym? Czy kiedykolwiek zrobiłeś coś lub zobowiązałeś się do czegoś, a potem, gdy tylko wszedłeś w to głębiej, zdałeś sobie sprawę, że w tym nie ma życia? Co więcej, zaczyna cię to okradać z życia, energii i stanowi zagrożenie dla twojego emocjonalnego, duchowego i może nawet fizycznego stanu. Dlatego tak rozpaczliwie potrzebujemy Bożego potwierdzenia dla kierunku i decyzji dotyczących naszego życia!

W Dz 21:10-14 poznajemy historię, w której słowo prorocze pomogło apostołowi Pawłowi umocnić się w decyzji, by pójść do Jerozolimy:

A gdy przebywaliśmy tam przez dłuższy czas, przybył z Judei pewien prorok, imieniem Hagabos. Przyszedł on do nas, wziął pas Pawła, związał sobie nogi i ręce, a następnie oznajmił: To mówi Duch Święty: Mężczyznę, do którego należy ten pas, w ten sposób zwiążą Żydzi w Jerozolimie i wydadzą w ręce pogan. Gdy to usłyszeliśmy, zaczęliśmy prosić Pawła my i ludzie z Cezarei – aby nie szedł do Jerozolimy. Wtedy Paweł odpowiedział: Dlaczego płaczecie i rozdzieracie mi serce? Jestem gotów, aby w Jerozolimie nie tylko mnie związano, ale i zabito dla imienia Pana Jezusa. Nie zdołaliśmy go przekonać. Dlatego ucichliśmy i stwierdziliśmy: Niech się dzieje wola Pana.

Chociaż wiele razy widziałem, jak Bóg przez służbę proroczą daje zrozumienie i potwierdzenie, to jednak za każdym razem, gdy to się dzieje, przepełniają mnie zachwyt i podziw dla Bożej troski pełnej miłości o Jego synów i Jego córki. Pewnego razu, podczas usługi w kościele, wywołałem mężczyznę, który siedział w jednym z ostatnich rzędów. Nie wyglądał specjalnie schludnie ani porządnie, jak ktoś, kto ma w życiu wszystko poukładane, raczej bił od niego cynizm i zniechęcenie, jakby wszystko mu się waliło. Powiedziałem mu, że Bóg chce, aby wiedział, że On o nim nie zapomniał, i że ma pewne zdolności, których nie wykorzystuje tak, jakby tego sam chciał, i nie tak, jak Bóg by tego chciał. Powiedziałem też, że jeśli zechce, Bóg otworzy mu drzwi, aby mógł wrócić do służby. Zapytałem go, czy wie, jak to się ma do jego życia, a on twierdząco skinął głową. Po nabożeństwie opowiedział mi trochę o sobie – był nowy w kościele, pojawiał się dopiero od kilku tygodni, był muzykiem. Kiedyś był bardzo zaangażowany w kościele, ale od jakiegoś czasu żył nieco na uboczu i dopiero co wrócił do Boga i do kościoła. Słowo, które mu przekazałem, było wiadomością od Boga, który chciał mu dać znać, że wita go w domu i że jest tu miejsce dla niego i jego darów i uzdolnień. Do tej pory grał w klubach i barach, i myślał, że w kościele nie ma zapotrzebowania na jego muzyczne zdolności. Później jeszcze wielokrotnie usługiwałem w tym kościele, i za każdym razem tak cudownie było widzieć go zaangażowanego w służbę uwielbienia i w życie kościoła. Boże dzieła są zdumiewające!

3. Służba prorocza potwierdza Boże Słowo, prowadzenie i obecność Boga w okolicznościach naszego życia.

Powinniśmy przeżywać nasze życie we współpracy z Bogiem i z pasją dążyć do realizacji Jego planów i celów. Żyjąc w tej perspektywie, szukamy Jego działania we wszystkich okolicznościach naszego życia. W taki właśnie sposób żyli uczniowie Jezusa i taki jest też Boży plan dla nas dzisiaj. Kolejny raz Apostoł Paweł służy nam tu wspaniałym przykładem swojego życia:

Lecz słońce ani gwiazdy nie ukazywały się jeszcze przez wiele dni. Sztorm wciąż się nasilał. Cała pozostała nadzieja na nasze ocalenie zaczęła topnieć. Wtedy, gdy już długo byli bez posiłku, stanął pośród nich Paweł. Panowie – powiedział – trzeba było posłuchać mojej rady, a nie ruszać się z Krety i uniknąć tych wielkich strat. Tym razem wam radzę: Bądźcie dobrej myśli! Nikt z was nie zginie. Przepadnie tylko statek. Bo tej nocy stanął przy mnie anioł tego Boga, do którego należę i któremu oddaję cześć. Powiedział mi: Nie bój się, Pawle! Musisz stanąć przed cesarzem. Ponadto Bóg podarował ci wszystkich, którzy płyną z tobą. Dlatego bądźcie dobrej myśli, panowie. Wierzę bowiem Bogu, że będzie tak, jak mi powiedziano. Kierujmy się zatem na jakąś wyspę.

Dzieje Apostolskie 27:20-26

Kilka lat temu podczas pewnego nabożeństwa dzieliłem się z ludźmi słowem proroczym. Poprosiłem młodą parę pochodzącą z Hiszpanii (która, jak się później dowiedziałem, była od niedawna w tej wspólnocie), by wstali, a ja zacząłem opisywać im obraz, który widziałem i byłem przekonany, że odnosi się do ich życia. Widziałem ich stojących przed przejazdem kolejowym. Czekali w swoim samochodzie, a pociąg nie przyjeżdżał. Odnosiłem wrażenie, że mają pokusę, by objechać szlaban z boku. Czułem prowadzenie, by zachęcić ich do zachowania spokoju i cierpliwości, by nie próbowali objeżdżać szlabanu. Powiedziałem im, że Bóg działa teraz dokładnie w tych okolicznościach, w których się znajdują i które powodują opóźnienie, więc powinni być cierpliwi, ostrożni i nie działać impulsywnie czy nierozważnie. Zapytałem także, czy rozumieją, jak to słowo odnosi się do ich życia, a oni przez łzy odpowiedzieli, że tak. Po nabożeństwie podeszli do mnie i opowiedzieli mi swoją historię. Mężczyzna przebywał w kraju jako nielegalny imigrant i mieszkał tu już siedem lat. W tym czasie podjął naukę, skończył szkołę i ożenił się (jego żona przebywała tu legalnie). Próbowali zmienić jego status pobytu, ale bez rezultatu. Jako nielegalny imigrant nie mógł podjąć pracy i każdego dnia żył w strachu przed deportacją. Niektórzy bliscy przyjaciele i członkowie rodziny doradzali mu, by… ruszył do przodu – objechał szlaban – poszukał pracy, mając nadzieję, że go nie złapią. Zachęcali go, by powiększył rodzinę i nie martwił się deportacją. Jednak on się wahał; potrzebował wskazówki, jakie kroki powinien podjąć, by mądrze posuwać się naprzód. Przez słowo prorocze, które Bóg dał mi dla tej pary, otrzymał potwierdzenie i miał możliwość nawiązania kontaktu z prawnikiem z tej wspólnoty, który specjalizował się w prawie imigracyjnym. I dodam, że był na tyle nowy w tej wspólnocie, że pastor nie znał go jeszcze i jego sytuacji, ale… Bóg znał!

5

POTWIERDZAĆ BOŻE DZIAŁANIE W KOŚCIELE I NA ŚWIECIE

Tom Lane

Gdyż przez Niego mamy dostęp do Ojca, jedni i drudzy, w jednym Duchu. Tak więc nie jesteście już obcymi, przybyszami, lecz współobywatelami świętych i domownikami Boga. Stoicie na fundamencie apostołów i proroków. Jego kamieniem węgielnym jest Chrystus Jezus. W Nim cała budowla, jako spójna całość, rośnie na święty przybytek w Panu. W Nim również wy wspólnie się budujecie na mieszkanie Boga w Duchu.

Ef 2:18-22

D ary duchowe są przekazywane ludziom i objawiają się we wspólnotach w celu budowania, zachęcania i pocieszania. Kiedy służba prorocza jest prowadzona w kościele w zdrowy sposób, ma potężny wpływ na poszczególne osoby i na pracę całej wspólnoty. Jestem ogromnie pobłogosławiony tym, że mogę doświadczać płynących z niej dobrodziejstw we własnym życiu.

Trudno znaleźć jeden konkretny sposób na opisanie tego, jak przekazywane jest słowo prorocze lub jak wygląda służba prorocka. Bóg używa poszczególnych ludzi, by przekazywali Jego słowo i wierzę, że tym samym pozwala, by przez ten dar ujawnił się element ich własnej osobowości i wyjątkowości. To jeden ze sposobów, w który my, Jego słudzy, współpracujemy z Bogiem. Biblia mówi, że dary Ducha są rozdzielane przez Ducha Świętego według rodzaju dzieła i służby. W 1Kor 12:4-6 Paweł pisze: *Dary łaski są różne, ale Duch – ten sam. Różne są dziedziny służby, ale Pan – ten sam. Różne też są formy działania, lecz ten sam Bóg, który sprawia wszystko we wszystkich.* Paweł mówi o tym, że są różne rodzaje darów i dziedziny służby i że Bóg używa do budowania Kościoła różnych osób i właśnie dzięki temu objawia swoje działanie i swoją miłość do ludzi.

Bóg często używa pojedyncze osoby, by przekazywały słowo prorocze, które zachęca, motywuje i pociesza, budując w ten sposób innych. Czasem używa ich w taki sposób, że przywódcy kościoła rozpoznają w nich powołanie do służby proroczej. Innym razem, Bóg wybiera tę czy inną osobę, by była Jego „tymczasowym" posłańcem, doręczając Jego słowo tam, gdzie trzeba, dla zbudowania kościoła lub jednej osoby. Tak czy inaczej, Duch Święty używa daru proroctwa dla zbudowania wierzących i kościoła. I choć w różny sposób doświadczamy w naszym życiu Bożej mocy i Jego wpływu, to w szczególny sposób używa On daru proroctwa, by potwierdzać Swoje działanie, zachęcać Swoje dzieci oraz pocieszać i błogosławić kościół.

Nowy Testament daje nam kilka przykładów tego, jak proroczy głos Boga objawiał się w kościele. Dzieje Apostolskie relacjonują następujące wydarzenie:

*W Antiochii, w tamtejszym kościele, prorokami i nauczycielami byli: Barnaba, Symeon, noszący przydomek Niger, Lucjusz Cyrenejczyk, Manaen, który wychowywał się z tetrarchą Herodem, oraz Saul. **W czasie gdy prowadzili publiczne nabożeństwo i pościli, Duch Święty powiedział: Oddzielcie mi Barnabę***

i Saula do tego dzieła, do którego ich powołałem. Wtedy, po za-
kończeniu postu i modlitwy, włożyli na nich ręce i ich wyprawili.

Dzieje Apostolskie 13:1-3; wyróżnienie dodane

Jeśli prowadzimy kościół i zarządzamy nim w sposób, który podoba się Panu, nasza służba na pewno będzie się wiązała z poma-
ganiem innym ludziom. Za każdym razem, kiedy stajemy przed
pytaniem, co dalej z naszą służbą, naszym pragnieniem powinno
być poznanie zamysłu Boga, by robiąc to, czego **On** chce, wypełnić Jego wolę. Jednak w procesie odkrywania tego, czego Bóg od
nas oczekuje w danej sytuacji, czasem dochodzimy do ściany i nie
mamy pojęcia, co dalej. To momenty, w których pomimo podjęcia
niezliczonych wysiłków i przeprowadzenia wielu rozmów, nie jesteśmy w stanie jasno określić dalszego kierunku. Zmagamy się z tym,
by poznać Bożą wolę w danej sprawie i wiedzieć konkretnie, którą
drogą pójść. Szukamy rady wśród przyjaciół i duchowych mentorów,
jednak gdy każdy z nich dzieli się z nami swoim spojrzeniem na
sprawę, wielość opcji i możliwości jeszcze bardziej może utrudniać
podjęcie właściwej decyzji. W miarę jak każdy z naszych doradców
roztacza przed nami swój własny scenariusz (jakkolwiek pobożny
i biblijny by on nie był), coraz trudniej jest nam rozpoznać, co o tym
wszystkim sądzi sam Bóg. I dlatego czasem tak trudno jest nam
rozpoznać ścieżkę, którą powinniśmy dalej iść. Każdy z naszych doradców jest przekonany, że zna i reprezentuje Boży punkt widzenia.
I choć przyświeca im wszystkim pobożna motywacja, to dzieląc się
z nami swoim punktem widzenia, wywierają wpływ na nasz wybór
kierunku i ostateczny wynik dyskusji.

Czasami, chcąc uniknąć tego całego zamieszania, łatwo jest
nam pominąć proces poszukiwania rady przy podejmowaniu ważnych decyzji. Niekiedy ciężko też znaleźć konkretną wskazówkę

pochodzącą z Bożego Słowa, która odnosiłaby się bardzo bezpośrednio do tego, jak poradzić sobie w tej określonej sytuacji w naszym życiu. Jeśli chcemy podążać za Bogiem, to niejednokrotnie właśnie w tym wachlarzu różnych punktów widzenia szukamy Jego spojrzenia na sprawę, ale na skutek tego wielogłosu może być nam bardzo trudno pogodzić te różne opinie i zyskać przekonanie co do podejmowanej decyzji. Potrzebujemy słowa od Boga! I gdy skoncentrujemy cały ten proces poszukiwania rady przy podejmowaniu decyzji wokół tego, co mówi Bóg, dotrzemy do miejsca porozumienia i harmonii. A gdy znajdziemy tę harmonię, znajdziemy też pokój, który jest podstawowym znakiem Bożej mądrości i prowadzenia.

W Dziejach Apostolskich czytamy o miejscu, jakie prorocy i nauczyciele zajmowali w kościele (Dz 3). Ci mężczyźni i kobiety byli dobrze znani w kościele i pozostawali w bliskich relacjach z innymi wierzącymi. Innymi słowy, wspólnie przeżywali życie. Wyobrażam sobie, że idąc razem przez życie mieli czasami różne spojrzenie na niektóre sprawy. Wspomniany fragment Dziejów Apostolskich mówi o tym, że Duch Święty wskazał im kierunek, podczas gdy oni służyli Bogu i pościli; nie ma tam nic o tym, **w jaki sposób** to zrobił. Osobiście wierzę, że to rozpoznanie kierunku było możliwe dzięki działaniu darów. Nauczyciele prawdopodobnie

> **BÓG CZĘSTO UŻYWA POJEDYNCZE OSOBY, BY PRZEKAZYWAŁY SŁOWO PROROCZE, KTÓRE ZACHĘCA, MOTYWUJE I POCIESZA, BUDUJĄC W TEN SPOSÓB INNYCH**

postrzegali sytuację z perspektywy „jak?" i pewnie z pasją dzielili się swoimi spostrzeżeniami. I prawdopodobnie ci, którzy byli obdarzeni darem proroctwa, patrzyli na wszystko szukając odpowiedzi na pytania „co?" i „dlaczego?". Jednak w pewnym momencie dyskusji, gdy zebrali wszystkie poglądy na sprawę i zrozumieli „co", „dlaczego" i „jak", pojawiło się światło w tej sprawie od samego Boga. Dzięki jedności i harmonii byli w stanie ruszyć dalej w jasno określonym kierunku.

Zdecydowanie wątpię, by te dyskusje miały w sobie jakikolwiek element złośliwości czy uporu, jednakże jestem pewien, że każda z osób biorących udział w dyskusji była mocno przekonana o swojej racji i w jakiś sposób to wyrażała. I w samym środku tych dywagacji – bez powoływania się na „to, co mówi Pan" czy używania religijnych deklaracji mających na celu zdominowanie całej grupy i przejęcie kontroli nad sytuacją – jeden z członków grupy, dysponujący darem proroctwa, dodał do niej kolejne światło, perspektywę Ducha Świętego, która połączyła wszystkie poglądy reprezentowane w dyskusji. Mogło to nawet przyjąć formę nagłego objawienia, takiego momentu „aha!", kiedy wszystko staje się jasne. W prosty i klarowny sposób słowa dotknęły samego sedna tematu, rzuciły światło na przedstawione racje i stworzyły przestrzeń do tego, by ci, którzy mieli inne spojrzenie na sprawę, spotkali się w jedności wokół tego, co Bóg miał na ten temat do powiedzenia.

Siła tego rodzaju proroctwa leży w jego wpływie na harmonizowanie relacji. Proroctwo nie wymuszało przyjęcia poglądu jednej osoby na to, co Bóg mówi do całej grupy. Zamiast tego każdy z liderów mógł podzielić się swoim spojrzeniem na sprawę, podczas gdy słowo proroctwa podsumowało Boży kierunek dla całej grupy. W środku tej wymiany prorocze wejrzenie i potwierdzenie płynące od Ducha Świętego wskazały wszystkim zaangażowanym w tę sprawę Boże rozwiązanie.

Duch Święty przekazuje i objawia nam Bożą wolę i kierunek dla naszego życia. A kiedy Jego Duch do nas mówi, Bóg oczekuje, że odpowiemy posłuszeństwem wiary. Wspaniały przykład takiego posłuszeństwa możemy znaleźć w Dziejach Apostolskich, w życiu Filipa.

Tymczasem anioł Pana przemówił do Filipa tymi słowami: Wstań i idź na południe, na drogę, która biegnie z Jerozolimy do Gazy. Jest to droga pustynna. Filip zatem wstał i poszedł. A właśnie tą drogą podróżował pewien człowiek. Był to Etiopczyk, eunuch, dostojnik etiopskiej królowej, kandake. Zarządzał całym jej skarbem. Przybył do Jerozolimy, aby pokłonić się Bogu, i jechał z powrotem. Siedział w swoim rydwanie i czytał proroka Izajasza. Duch powiedział Filipowi: Idź, przyłącz się do tego rydwanu. Gdy Filip podbiegł, usłyszał, że tamten czyta proroka Izajasza. Czy rozumiesz to, co czytasz? – zapytał. Jak mogę rozumieć, skoro nie ma mi kto wyjaśnić? – odpowiedział tamten. I poprosił Filipa, aby wszedł i usiadł przy nim. A czytał akurat ten fragment Pisma: Jak owca na rzeź był prowadzony i jak baranek milczał wobec tego, kto go strzyże – podobnie nie otworzył swych ust.

Dzieje Apostolskie 8:26-32

Duch Święty daje też objawienie poszczególnym osobom podczas wspólnych spotkań. Używa ich, kiedy chce wskazać kierunek. Gdy objawienie przychodzi przez słowo prorocze, przynosi światło w określonej sytuacji odnoszącej się do służby, ostrzega poszczególne osoby przed konsekwencjami ich działań oraz potwierdza decyzje, które zostały podjęte, lub daje wskazówki, jakie decyzje podjąć. Kluczowe są tu motywacje i sposób przekazania proroctwa. Słowo prorocze powinno być przekazywane w pozytywny, zachęcający i pocieszający sposób. Nie powinno być wypowiadane szorstko, krytycznie, z agresją czy złośliwością. Treść słowa i forma jego przekazania powinny zawsze odzwierciedlać serce Boga, w innym wypadku można śmiało stwierdzić, że nie pochodzi ono od Boga.

TREŚĆ SŁOWA I FORMA JEGO PRZEKAZANIA POWINNY ZAWSZE ODZWIERCIEDLAĆ SERCE BOGA

Dzieje Apostolskie są skarbnicą wspaniałych przykładów tego, w jaki sposób proroctwo powinno funkcjonować w kościele.

W tych zaś dniach przyszli do Antiochii prorocy z Jerozolimy. Jeden z nich, imieniem Hagabos, zapowiedział pod wpływem Ducha, że na całym świecie nastanie wielki głód. Nastał on też za Klaudiusza. Co do uczniów natomiast, tyle na ile każdego było stać, wszyscy postanowili wysłać pomoc braciom mieszkającym w Judei. Zgodnie z postanowieniem posłali ją starszym za pośrednictwem Barnaby i Saula.

Dzieje Apostolskie 11:27-30

A gdy posłańcy przybyli do Antiochii, zwołali ogólne zgromadzenie i przekazali list. Jego zachęcająca treść ucieszyła zebranych. **Juda zaś i Sylas, którzy byli prorokami, swoimi licznymi wypowiedziami zachęcali i umacniali braci.** *Po spędzeniu tam pewnego czasu zostali w pokoju odesłani przez braci do tych, którzy ich posłali.*

Dzieje Apostolskie 15:30-33; wyróżnienie dodane

My natomiast odbiliśmy z Tyru i zakończyliśmy żeglugę w Ptolemais. Tam przywitaliśmy się z braćmi i zatrzymaliśmy się u nich jeden dzień. Nazajutrz wyruszyliśmy i dotarliśmy do Cezarei. **Wstąpiliśmy do domu Filipa, ewangelisty, jednego z Siedmiu, i u niego już pozostaliśmy. Miał on cztery niezamężne córki, które prorokowały. A gdy przebywaliśmy tam przez dłuższy czas, przybył z Judei pewien prorok, imieniem Hagabos. Przyszedł on do nas, wziął pas Pawła, związał sobie nogi i ręce, a następnie oznajmił: To mówi Duch Święty: Mężczyznę, do którego należy ten pas, w ten sposób zwiążą Żydzi w Jerozolimie i wydadzą w ręce pogan.** *Gdy to usłyszeliśmy, zaczęliśmy prosić Pawła – my i ludzie z Cezarei – aby nie szedł* *do Jerozolimy. Wtedy Paweł odpowiedział: Dlaczego płaczecie i rozdzieracie mi serce? Jestem gotów, aby w Jerozolimie nie tylko mnie związano, ale i zabito dla imienia Pana Jezusa. Nie zdołaliśmy go przekonać. Dlatego ucichliśmy i stwierdziliśmy: Niech się dzieje wola Pana.*

Dzieje Apostolskie 21:7-14; wyróżnienie dodane

Rozumiejąc i wierząc, że ten nowotestamentowy model proroctwa wciąż ma swoje zastosowanie w dzisiejszym kościele, modliłem się pewnego popołudnia o nabożeństwo, w którym miałem uczestniczyć wieczorem. I podczas tej modlitwy miałem wizję – zobaczyłem mężczyznę i byłem pewien, że pojawi się tego wieczoru na nabożeństwie. Duch Święty dał mi obraz konkretnej sytuacji odnoszącej się do tego człowieka. Jakiś czas temu ten mężczyzna, jadąc traktorem, miał wypadek i został ranny, być może było to lata temu. Minęło na tyle dużo czasu, że rany dawno się zagoiły. W tej wizji widziałem, że traktor przewrócił się na bok, przygniatając prawą nogę mężczyzny i uszkadzając mu kolano. Gdy przetwarzałem w swoim umyśle to, co widziałem w duchu, wiedziałem, że wciąż bolało go kolano, a słowo prorocze, które dla niego otrzymałem, mówiło, że tego wieczoru Bóg chce objawić się temu człowiekowi i chce uleczyć go z bólu. Podczas wieczornego nabożeństwa wstałem w odpowiednim momencie i przekazałem zgromadzonym ludziom otrzymane słowo, i zapytałem, czy jest na sali mężczyzna, który pasuje do opisanych okoliczności. Czekałem, aż ktoś zareaguje. Czas mijał…, nikt się nie zgłaszał. Minęło zaledwie kilka sekund, ale ja czułem, jakby to były godziny. Po tym długim, jak mi się wydawało, czasie milczenia przeprosiłem za moją pomyłkę i odwróciłem się, by wrócić na swoje miejsce.

Pozwólcie, że w tym miejscu przerwę na chwilę tę historię, by zwrócić uwagę na bardzo istotny aspekt wiarygodności proroctwa.

Kiedy służymy proroctwem, musimy być gotowi przyjąć postawę pokory, jeśli słowo, które przekazujemy, nie pasuje do sytuacji lub do osoby, do której je kierujemy.

Często bywa tak, że przekazujemy słowo komuś, kto może być onieśmielony publicznym wystąpieniem i dlatego nie reaguje na otrzymane słowo. A czasem ktoś nie zdaje sobie sprawy, że dane słowo odnosi się do jego sytuacji, dopóki przyjaciel czy współmałżonek nie wyjaśni mu powiązania. Jeśli służysz darem proroctwa, nie możesz zakładać, że twoje prorocze wejrzenie jest zawsze w pełni trafne albo przekazane w dogodnym momencie. Musisz być gotowy przyznać, że chociaż masz prawe serce posłusznego sługi, możesz się pomylić co do tego, co Bóg robi czy mówi w danej sytuacji.

Wracając do opisanej sytuacji – z poczucia uczciwości wobec Boga i ludzi przeprosiłem, bo nikt spośród obecnych nie zareagował na to, co powiedziałem. Jednak pastor zatrzymał mnie i poprosił, abym spróbował jeszcze raz, mówiąc, że ma poczucie, iż to słowo jest trafne i odnosi się do kogoś ze zgromadzonych na sali. Na jego prośbę stanąłem przed wspólnotą i jeszcze raz opisałem całą sytuację, czekając na reakcję. Po chwili, która wydawała się być wiecznością, wstał mężczyzna z tyłu sali i wskazał na mężczyznę siedzącego kilka rzędów przede mną, i zawołał go po imieniu. Człowiek siedzący z tyłu sali kazał swojemu przyjacielowi wstać, bo wiedział, że słowo było skierowane właśnie do niego. Po chwili wywołany mężczyzna wstał, a ja zapytałem go, czy miał kiedyś wypadek traktorem. Potwierdzająco skinął głową. Potem zapytałem go, czy w tym wypadku ucierpiało jego prawe kolano, a on ponownie skinął głową. A kiedy zapytałem,

> **JEŚLI SŁUŻYSZ DAREM PROROCTWA, NIE MOŻESZ ZAKŁADAĆ, ŻE TWOJE PROROCZE WEJRZENIE JEST ZAWSZE W PEŁNI TRAFNE ALBO PRZEKAZANE W DOGODNYM MOMENCIE**

czy noga boli go w tej chwili, otrzymałem trzecie potwierdzenie. Pomodliłem się więc o to, aby Bóg zabrał ten ból i uleczył jego nogę. I wówczas Bóg całkowicie uzdrowił tego człowieka!

W takich momentach **nie można** zaprzeczyć, że Bóg zna najbardziej intymne szczegóły naszego życia i że cały czas działa!

Możesz zadać pytania: Czy naprawdę potrzebuję od Boga wskazówek co do kierunku drogi? Czy naprawdę potrzebuję Jego działania w swoim życiu? To prawda, że Bóg mówi do nas przez swoje spisane Słowo, ale równie prawdziwe jest to, że przez słowo prorocze przekazuje nam jasne i szczegółowe wskazówki w kluczowych momentach naszego życia, które odzwierciedlają Jego pragnienia i zamiary. Słowo prorocze może przynieść światło, wskazówkę, zachętę i pokój w trudnej sytuacji w naszym małżeństwie albo w ważnych sprawach dotyczących naszej przyszłości. Może też wpłynąć na decyzje dotyczące naszych dzieci lub dać nam jasne przekonanie co do tego, jak Bóg pragnie nas użyć w swojej służbie. Kiedy otwieramy nasze serca, by przyjąć słowa, które Bóg do nas kieruje, przyjmujemy Jego samego i otwieramy się na Jego dzieła w naszym życiu.

W tym właśnie sensie wy wszyscy jesteście ciałem Chrystusa, a każdy z osobna – członkami. Bóg tak umieścił je w Kościele: Najpierw apostołów, po drugie proroków, po trzecie nauczycieli, następnie przejawy mocy, dalej dary uzdrowień, niesienia pomocy, zarządzania, różnego rodzaju języki. Czy wszyscy są apostołami? Czy wszyscy prorokami? Czy wszyscy nauczycielami? Czy przez wszystkich przejawia się moc? Czy wszyscy mają dary uzdrowień? Czy wszyscy mówią językami? Czy wszyscy je wykładają? Oczywiście gorąco pragnijcie większych darów łaski.

1 List św. Pawła do Koryntian 12:27-30

Nie zaniedbuj swego daru łaski, który został ci dany na pod-
stawie proroctwa przez włożenie rąk grona starszych. O to za-
biegaj i temu się poświęcaj, aby twoje postępy były widoczne
dla wszystkich.

1 List św. Pawła do Tymoteusza 4:14-15

6
WSPÓŁPRACOWAĆ W GŁOSZENIU EWANGELII
Wayne Drain

Otrzymacie moc Ducha Świętego, kiedy na was zstąpi,
i będziecie Mi świadkami tu, w Jerozolimie, w całej Judei,
Samarii – i aż po najdalsze krańce ziemi.
Dz 1:8

Gdy zdamy sobie sprawę, że Duch Święty i Jego dary działają dziś w życiu ludzi, może pojawić się pokusa, by nadać tej potężnej służbie kierunek do wewnątrz i w ten sposób zamienić kościół w towarzystwo wzajemnej adoracji. A przecież nie taki był zamiar Boga, kiedy posyłał Ducha Świętego. Posłał Go w określonym celu – by wnieść w nasze życie Swoją obecność.

Zostałem niedawno zaproszony z kazaniem do pewnego kościoła tuż pod Londynem. Kazanie, które zamierzałem wygłosić, zatytułowałem: „Czas przywrócić 'E' słowu MISJA". Prawdopodobnie pomyślisz: „Zaraz, zaraz! W słowie 'misja' nie ma litery 'e'". I masz rację, lecz nie o samą literę tu chodzi, chciałem w ten sposób podkreślić potrzebę ewangelizacji – głoszenia dobrej nowiny o Jezusie Chrystusie. Chciałem też zauważyć, że wiele spośród podejmowanych dziś działań misyjnych, choć zapewnia pomoc i wsparcie wielu osobom, wydaje się pomijać kluczowy element dzielenia się dobrą nowiną o Jezusie – stwarzania ludziom możliwości, by w modlitwie przyjęli Jezusa jako swojego Pana i Zbawiciela. Wierzący na całym świecie w imię Jezusa karmią i ubierają ubogich, występują przeciwko niesprawiedliwości i starają się podnosić złamanych na duchu. To wspaniale, jednak z moich obserwacji wynika, że zbyt często ogarnia nas strach i nie wykorzystujemy możliwości, by dać ludziom szansę przyjęcia Chrystusa jako swojego Zbawiciela.

Pastor, który zaprosił mnie do Londynu, był zaniepokojony tym, że choć członkowie jego wspólnoty wspaniale radzili sobie z praktycznym okazywaniem miłości i pomocy innym, to jednak wielu z nich zapominało o tym, co najważniejsze. Kościół pomagał ludziom w zaspokojeniu najbardziej podstawowych potrzeb i bez wątpienia wielu z nich rozpoznawało motywację, która popychała chrześcijan do podejmowania tego rodzaju służby. Jednak ten pastor zdawał sobie sprawę, że jeśli chrześcijanie nie stwarzają innym ludziom

> **WIĘKSZOŚĆ CHRZEŚCIJAN WIE, ŻE EWANGELIZACJA – CZYLI DZIELENIE SIĘ SWOJĄ WIARĄ – TO COŚ, CZYM POWINNI SIĘ ZAJMOWAĆ, ALE TYLKO MAŁY PROCENT RZECZYWIŚCIE TO ROBI**

możliwości, by ci mogli przyjść do Chrystusa, to tak naprawdę nie pomagają im znaleźć najlepszego rozwiązania ich sytuacji.

Pod koniec nabożeństwa poprosiłem młodą Afrykankę, aby pomogła mi zilustrować, jak przyprowadzić kogoś do Zbawiciela. Siedziała prawie na samym przedzie, więc założyłem, że jest członkiem tego kościoła. W miarę jak ćwiczenie się rozwijało, doszedłem do momentu, w którym zapytałem, czy chciałaby przyjąć Chrystusa. I wtedy stało się coś nieoczekiwanego. Ta młoda kobieta zaczęła cicho płakać. Kiedy zapytałem, czy wszystko w porządku, powiedziała: „Nie przyjęłam jeszcze Jezusa, ale chciałabym to zrobić". Ku mojemu wielkiemu zadowoleniu scenka, która miała być tylko ilustracją, zamieniła się w reality show! Z radością pomodliłem się z nią, by przyjęła Jezusa jako swojego Zbawiciela, a cała wspólnota cieszyła się razem z nami! Jeszcze tego samego dnia dziewięć innych osób dołączyło do tej młodej kobiety i także przyjęło Jezusa!

Po spotkaniu zapytałem tę kobietę, dlaczego zdecydowała się powierzyć swoje życie Chrystusowi. Odpowiedziała: „Czekałam tylko na to, żeby mnie ktoś o to zapytał". Później dowiedziałem się od pastora, że od sześciu miesięcy mieszkała z chrześcijankami w jednym mieszkaniu i przez ten czas przychodziła do kościoła. Ale nikt jej nigdy nie zapytał, czy chciałaby przyjąć Chrystusa. Wielu ludzi, tak jak ta kobieta, żyje w „dolinie sądu" (Jl 3:19)[9] i tylko czeka, by ktoś podzielił się z nimi dobrą nowiną o Jezusie. To wszystko, co wydarzyło się podczas nabożeństwa, potwierdziło obawy pastora, że jego wspólnota przestała zauważać „e" w słowie „misja".

W Kościele stosowano już różne metody, by zdobywać ludzi dla Chrystusa. Jedną z takich metod stosowanych w Stanach Zjednoczonych jest Evangelism Explosion (eksplozja ewangelizacji – przyp. tłum.) – EE – skuteczny program, który uczy młodych chrześcijan, jak w przekonujący sposób dzielić się wiarą[10]. Wyszkolony lider EE szkoli innych ludzi, a po zakończeniu szkolenia zespoły idą od drzwi do drzwi, dając niewierzącym osobom okazję przyjęcia zbawienia. Za tą metodą stoi przekonanie, że na każde dziesięcioro drzwi, do których zapukasz, jedna osoba będzie zainteresowana przyjściem do Jezusa. Dziękuję Bogu za te tysiące dusz, które dzięki EE zdołały wyjść z ciemności swoich grzechów i przejść do cudownego światła

---

[9] W przekładzie Biblii *The New International Version* występuje: *the valley of decision*, co można tłumaczyć dosłownie: dolina decyzji (w edycji św. Pawła występuje: dolina Wyroku) – *przyp. red.*

[10] Lawrence Kennedy, *Evangelism Explosion,* Tyndale House Publishers, Carol Stream, Illinois 1970.

Zbawiciela. Kłopot z tą metodą polega na tym, że dla wielu osób chodzenie od drzwi do drzwi jest mocno onieśmielające. Wielu ludzi zwyczajnie nie potrafi przezwyciężyć strachu przed tym, czy sobie poradzą. W rezultacie znaczna większość chrześcijan unika udziału w tego typu ewangelizacji.

Większość chrześcijan wie, że ewangelizacja – czyli dzielenie się swoją wiarą – to coś, czym **powinni** się zajmować, ale tylko mały procent rzeczywiście to robi. Wielu woli zostawić ewangelizację specjalistom. Niestety takie podejście okrada ich z nieporównywalnej z niczym innym radości, która wynika z udziału w modlitwie o czyjeś nowe narodzenie. Wierzę, że każdy chrześcijanin powinien odpowiedzieć na Wielki Nakaz Misyjny, by iść i pozyskiwać uczniów wśród wszystkich narodów (Mt 28:18-20), dlatego poświęciłem dość dużo czasu na myślenie i modlitwę o to, w jaki sposób pomóc innym dzielić się wiarą.

W roku 2006, gdy modliłem się w tej intencji, wpadł mi do głowy pewien pomysł. Zobaczyłem taki obraz: dwa naczynia – jedno było wypełnione małymi kamyczkami, a drugie było puste. Naczynie z kamyczkami skute było czarnymi łańcuchami. Na pustym naczyniu widniały białe krzyże. Potem zobaczyłem dłonie przekładające kamyczki z pełnego naczynia do pustego, jeden za drugim... Wiedziałem, co symbolizował ten obraz. Za każdym razem, kiedy ktoś przyjmuje zbawienie, kamień z naczynia otoczonego łańcuchami jest przenoszony do naczynia z białymi krzyżami. To była symboliczna wizualizacja osób przechodzących z ciemności do zachwycającego światła (1P 2:9). Gdy rozmyślałem nad tym, co zobaczyłem, poczułem, że powinienem odtworzyć tę wizję przed wspólnotą wierzących w moim kościele. Gdy to zrobiłem, obraz naczynia z namalowanymi czarnymi łańcuchami oraz drugiego z białymi krzyżami bardzo mocno przemówił do ich wyobraźni i serc. Stopniowo, ale stale rosła w naszym kościele liczba ludzi doświadczających zbawienia. Tylko w 2010 roku mieliśmy tylu nowych chrześcijan, ilu w ciągu poprzednich pięciu lat łącznie! Ta prorocza wizja zainspirowała członków naszej wspólnoty do tego, by zaangażować się w dzielenie się wiarą. I dziś jest to jeden z najważniejszych momentów podczas nabożeństwa – ludzie wychodzą do przodu, dzielą się krótkim świadectwem o kimś, kto przyjął zbawienie, i przekładają kamyczek z jednego naczynia do drugiego. Szczególnie wzruszające jest, gdy osoba, która w modlitwie przyjęła Chrystusa, sama wychodzi do przodu, by przełożyć kamień, który symbolizuje jej przejście z ciemności do światłości.

Wierzę, że są dwa główne powody, dla których Kościół koniecznie powinien przywrócić „e" słowu „misja":

1. **Wezwanie do miłości.**
   Największe Przykazanie z Mt 22:36-40 mówi, by **kochać Boga i kochać bliźniego**. Właśnie to motywuje nas do tego, by karmić i ubierać biednych, występować w imieniu tych, którym odbiera się prawo głosu, oraz dzielić się dobrą nowiną o Jezusie z tymi, którzy potrzebują zbawienia. Miłość jest najwspanialszym powodem do tego, by zacząć używać „e" w słowie „misja".

2. **Polecenie, by dzielić się wiarą.**
   Niektórzy wierzący zachowują się tak, jakby Wielki Nakaz Misyjny z Mt 28:18-20 był tylko „Wielką Propozycją". Zapewniam was, że to nigdy nie była tylko propozycja. To polecenie, które nasz Pan wydał swoim uczniom. To polecenie, by *iść na cały świat i czynić uczniami*. To takie proste. Realizujemy to polecenie, gdy wdrażamy te same elementy służby, o których

Jezus wspominał, kiedy stał w synagodze i cytował fragmenty z Księgi Izajasza (Łk 4:16-21):

a. Głosić dobrą nowinę ubogim i opatrywać rany tych, których serca są złamane.

b. Ogłaszać wyzwolenie więźniom, przywracać wzrok ociemniałym i pocieszać zasmuconych.

c. Wypuszczać na wolność uciśnionych i ogłaszać rok łaski Pana.

Większość chrześcijan zgadza się z tym, że Największe Przykazanie i Wielki Nakaz Misyjny zostały nam dane przez Pana Jezusa. Potrzebujemy jednak skutecznej metody działania. Robiliśmy już wszystko – chodziliśmy od drzwi do drzwi, organizowaliśmy wielkie przebudzenia i koncerty plenerowe. Malowaliśmy twarze, żonglowaliśmy czym tylko się dało i ustawialiśmy ścianki wspinaczkowe, by przyciągnąć czyjąś uwagę. I chociaż żadna z tych inicjatyw nie jest zła, często są one nieefektywne.

Przez kilka ostatnich lat, odkąd współpracujemy z Duchem Świętym i poddajemy się Jego prowadzeniu, możemy oglądać coraz więcej ludzi przychodzących do Chrystusa. Osobiście wolałbym zapukać do jednych drzwi, które wskazał mi Duch Święty, niż do stu, licząc, że choć dziesięć osób otworzy. Zapytacie więc, jak możemy współpracować z Duchem Świętym, by efektywnie ewangelizować. Znalazłem kilka odpowiedzi na to pytanie w biblijnej historii Filipa, ewangelisty. Biblia mówi, że był on jednym z siedmiu mężczyzn, *pełnych Ducha i mądrości*, wybranych, by służyć starszym (Dz 6:3). I dzięki ich oddanym sercom *Słowo Boga krzewiło się i liczba uczniów w Jerozolimie niezmiernie rosła. Liczna też rzesza kapłanów dawała posłuch wierze* (Dz 6:7). A dalej czytamy, że Filip poszedł do miasta

Samarii i tam głosił Chrystusa. Dokonywał też cudów, wypędzał złe duchy i uzdrawiał wielu ułomnych i sparaliżowanych (Dz 8). Filip **zaangażował się** w dzielenie się wiarą.

Gdy czytałem w Dz 8:26-40 o tym, jak Filip poprowadził etiopskiego eunucha do Chrystusa, zacząłem zauważać związek między darami Ducha Świętego a ewangelizacją. Ten fragment pokazuje, że Duch Święty skierował Filipa na południe konkretną drogą biegnącą z Jerozolimy do Gazy. Na tej drodze Filip spotkał etiopskiego dostojnika, który wracał do domu z Jerozolimy, gdzie oddawał Bogu chwałę. Duch skierował Filipa, by przyłączył się do rydwanu, a gdy Filip biegł przy rydwanie, usłyszał, że eunuch czyta proroka Izajasza – Duch Święty już wtedy działał w sercu tego człowieka. Eunuch poprosił Filipa, żeby wyjaśnił mu fragment z Iz 53:7-8, bo potrzebował trochę więcej **informacji**. Zaczynając więc od tamtego fragmentu Pisma, Filip podzielił się z tym człowiekiem dobrą nowiną o Jezusie. Następnie **zaprosił** Etiopczyka do tego, by przyjął Jezusa. I dalej czytamy, że Filip ochrzcił Etiopczyka w wodzie, na którą natrafili przy drodze (Dz 8:38).

> KIEDY UCZYMY SIĘ NAPRAWDĘ SŁUCHAĆ TEGO, CO MÓWIĄ LUDZIE, WTEDY CZĘSTO SŁYSZYMY GŁOS BOGA I OTRZYMUJEMY WEJRZENIE W DANĄ SYTUACJĘ

W tej historii widzimy działanie kilku darów Ducha Świętego. Z pewnością rozpoznajemy dar ewangelizacji, ale też dar nauczania, słowo wiedzy oraz dary uzdrawiania, czynienia cudów, wiary i rozeznawania duchów. Co ciekawe, w Dz 21:9 odkrywamy, że Filip ewangelista *miał cztery niezamężne córki, które prorokowały*. W domu jednego z najbardziej znanych ewangelistów w całym Piśmie ewangelizacja i proroctwo działały ramię w ramię. Mając to w pamięci, jestem przekonany, że także my powinniśmy doświadczać działania darów Ducha Świętego, gdy dzielimy się naszą wiarą z innymi. W naszym kościele doświadczamy niewiarygodnych rzeczy, widząc współdziałanie ewangelizacji z darami proroctwa i uzdrawiania.

W 1Kor 14:24-25 czytamy: *Jeśli natomiast wszyscy prorokują, a wejdzie niewierzący lub słabo obeznany, i wszyscy się na nim skupią, dokładnie zbadają, a przy tym wyjdą na jaw sprawy ukryte głęboko w sercu, to może się zdarzyć, że upadnie na twarz, złoży pokłon Bogu i wyzna: Rzeczywiście Bóg jest między wami.* W naszym kościele korzystanie z darów Ducha Świętego zwykle towarzyszy naszym ewangelizacyjnym wysiłkom. Zdarzało się wielokrotnie podczas nabożeństwa, że jeden z głoszących „słyszał" w duchu, że konkretna liczba osób wyjdzie tego dnia do przodu, by przyjąć zbawienie. To zdumiewające widzieć później dokładnie taką liczbę osób, które wychodzą do przodu, by przyjąć Chrystusa!

Uczymy się także być otwartymi na prowadzenie Ducha Świętego nie tylko wewnątrz kościelnych murów, ale także poza nimi. Widzieliśmy, jak dzięki tym delikatnym szturchnięciom Ducha Świętego kelnerki, pracownicy banku, budowlańcy, prawnicy, nauczyciele, a także pracownicy centrów handlowych doświadczali uzdrowienia i przyjmowali zbawienie. Do potrzeb naszego małego miasteczka dostosowaliśmy także pochodzący z kościoła Bethel Church w Redding w Kalifornii model Treasure Hunts[11] (poszukiwanie skarbów). Model polega na tym, że spotykamy się w małych grupach, by modlić się i prosić Ducha Świętego, aby pokazał nam ślady prowadzące do skarbów poszukiwanych przez Boga – czyli do ludzi, których chce zachęcić przez słowo prorocze, uzdrowienie, lub doprowadzić ich do przyjęcia Zbawiciela. Podczas tych spotkań otrzymywaliśmy bardzo konkretne informacje, takie jak: „W dziale z owocami w tym i tym

---

[11] Kevin Dedmon, *The Ultimate Treasure Hunt – A Guide to Supernatural Evangelism Through Supernatural Encounters*, Destiny Image Publishers, Shippensburg, Pennsylvania 2007.

supermarkecie stoi mężczyzna z czerwoną czapką na głowie. Ma na imię John i cierpi z powodu silnych bólów kręgosłupa". Po zapisaniu wskazówek grupa jechała do konkretnego supermarketu, szukając w dziale z owocami mężczyzny o imieniu John. Wyobrażacie sobie, jak musiał się czuć John, widząc te wszystkie informacje na kartce, zapisane przez ludzi, których nie znał?

Liderzy naszego kościoła uznają tę współpracę darów duchowych i ewangelizacji za jak najbardziej normalną część naszego codziennego życia. Oczywiście nie chcemy przerodzić się w odrealnionych mistyków, z obłędem w oczach, którzy więcej osób odstraszają niż przyciągają do Jezusa; jednakże na początku to zawsze jest trochę tajemnicze, gdy podchodzisz do obcej osoby z karteczką zawierającą jej imię lub rysopis, z opisem konkretnej potrzeby lub ze słowem proroctwa. Ale świadomość, że wskazówki do „poszukiwania skarbu" zostały objawione podczas modlitwy i uwielbienia, zanim jeszcze grupa wyruszyła w teren, bardzo buduje naszą wiarę. Rzadko się zdarzało, aby ekipa „poszukiwaczy skarbów" wróciła bez żadnej opowieści o tym, jak ludzie zostali uzdrowieni, zachęceni słowem proroctwa lub jak modlili się o przyjęcie Jezusa.

Większość ludzi, gdy tylko zda sobie sprawę z tego, że są „skarbem" poszukiwanym przez Boga, chętnie zgadza się na modlitwę. Gdy niewierzący widzą zwykłych ludzi współpracujących z niezwykłym Bogiem, stają się bardziej otwarci na ewangelię o Jego Królestwie. Zawsze zachwyca nas, gdy możemy być świadkami niesamowitej miłości Boga, sięgającej od nieba aż do ludzi, za których umarł Jezus!

Wspaniale jest słyszeć słowo od Boga. Nauczyłem się tego, że głos Boga brzmi inaczej niż wszystkie inne głosy, które domagają się mojej uwagi w każdej minucie dnia. Głos Boga niesie ze sobą słodkie dźwięki łaski, pokoju, nadziei, radości i nade wszystko miłości. Kiedy uczymy się naprawdę słuchać tego, co mówią ludzie, wtedy często słyszymy głos Boga i otrzymujemy wejrzenie w daną sytuację. I kiedy przekazujemy to, co usłyszeliśmy, używając zwyczajnego, nie religijnego języka, ludzie są bardziej skłonni, by tego wysłuchać. Pomyśl o tym, jak Jezus rozmawiał z kobietą przy studni (J 4). Najpierw jej posłuchał. Później do niej przemówił i zrobił to, używając zwyczajnych, codziennych słów, z uprzejmością i szacunkiem. Gdy Jezus powiedział o jej poprzednich mężach, kobieta zaczęła słuchać Go uważniej. A gdy już pozyskał jej uwagę, ogłosił, że to On jest Mesjaszem, na którego czekała.

Mój przyjaciel, pastor Bill Leckie, zachęca wierzących w swoim kościele do wypełniania misji poprzez zaangażowanie w realizację trzyczęściowej wizji[12]: **inwestuj, informuj** i **zapraszaj**[13]. Zaadaptowaliśmy te trzy słowa na potrzeby naszego kościoła, by pomóc ludziom odkryć, w którym miejscu w ich podróży do zbawienia i członkostwa w kościele się znajdują. Odkryliśmy, że zwykle ludzie potrzebują przejść przez proces kilkukrotnych spotkań z Bogiem i Jego sługami, zanim będą gotowi zaufać Jezusowi i znaleźć swoje miejsce w kościele.

Oto nasza adaptacja tej trzyczęściowej wizji:

1. **Inwestuj** w ludzi, troszcząc się o nich i wychodząc naprzeciw ich potrzebom.

   a. Nie zrzucaj tego na specjalistów, raczej zaangażuj się osobiście.

   b. Zdecydowana większość ludzi, którzy przychodzą, by przyjąć zbawienie, robi to, bo ktoś, kogo znają, poświęcił czas, by ich wysłuchać i usłużyć im.

---

[12] Bill Leckie, *The Journey*, northgatalife publications, Bentonville, Arkansas 2010.

[13] W języku angielskim: invest, inform, invite – *przyp. red.*

2. Informuj ludzi o dobrej nowinie zarówno swoim życiem, jak i słowami.

   a. Upewnij się, że słuchasz pytań, które ludzie rzeczywiście zadają.

   b. Wielu ludzi potrzebuje jedynie trochę więcej informacji, by stać się gotowymi na przyjęcie Chrystusa.

3. Zapraszaj ludzi, by nawiązali relację z Chrystusem i z Jego Kościołem.

   a. Zbyt wielu chrześcijan zachowuje się jak sprzedawca, który posiada wspaniały produkt lub potrzebną usługę, ale nigdy nie wystawia go/jej na sprzedaż.

   b. Pamiętaj, że wielu ludzi żyje w dolinie sądu[14], czekając tylko na to, by ktoś im powiedział, jak znaleźć Zbawiciela. Czasami potrzebują tylko jednego – by ktoś ich zaprosił.

Gdy modliłem się przed nabożeństwem we wspomnianym wcześniej kościele w Londynie, prosiłem, by Bóg przyprowadził kogoś tego dnia do Zbawiciela. Nie wiedziałem, dlaczego poprosiłem akurat tę młodą Afrykankę, by odegrała ze mną scenkę. Ale **ona** się zgodziła. Powiedziała mi, że gdy weszła do sali, w której odbywało się nabożeństwo, „miała przeczucie", że ktoś powie jej, jak znaleźć „tego" Jezusa, którego szukała. Księga Izajasza odkrywa przed nami Boże pragnienie i Jego zamiar, by nami kierować: *A gdy będziecie chcieli iść w prawo albo w lewo, twoje uszy usłyszą słowo odzywające*

---

[14] W przekładzie Biblii *The New International Version* występuje: the *valley of decision*, co można tłumaczyć dosłownie: dolina decyzji (w edycji św. Pawła występuje: dolina Wyroku) – *przyp. red.*

się do ciebie z tyłu: To jest droga, którą macie chodzić! (Iz 30:21).
Odkryłem, że bycie kierowanym przez Boga wymaga przede wszystkim słuchania. Uczę się wyciszać odgłosy tła w moim życiu, by móc „słyszeć" prowadzenie Pana..., nawet gdy jest to tylko cichy, łagodny głos. I w tym wszystkim warto pamiętać, że Duch Święty aktywnie współpracuje z nami, by utrzymać 'e' w „misji" każdego z nas, tak by cały świat poznał, że Jezus zbawia.

7
PRZYNOSIĆ ZBUDOWANIE, ZACHĘTĘ I POCIECHĘ
Tom Lane

On też uczynił jednych apostołami, drugich prorokami, innych
ewangelistami, jeszcze innych duszpasterzami i nauczycielami. Uczynił
to po to, by wyposażyć świętych do spełniania właściwych im zadań,
do budowania ciała Chrystusa, aż dojdziemy wszyscy do jedności
wiary i pełnego poznania Syna Bożego, do doskonałości właściwej
dla dojrzałych, i dorośniemy do wymiarów pełni Chrystusowej.
Chodzi bowiem o to, abyśmy już nie byli dziećmi, rzucanymi przez
fale i unoszonymi przez każdy powiew nauki będącej w rzeczy samej
wyrazem ludzkiego oszustwa i sprytu w posługiwaniu się zwodniczymi
metodami. Przeciwnie, zależy mi, byście pod każdym względem, jako
prawdomówni w miłości, rozwijali się i coraz bardziej przypominali
Jego, który jest Głową, Chrystusa. Z Niego czerpie całe ciało. Każda jego
część we właściwy sobie sposób łączy się z innymi i wzajemnie zasila,
a dzięki temu wszystkie rosną w otoczeniu miłości.
Ef 4:11-16

Żyjemy w bezprecedensowych czasach w historii ludzkości. Specjaliści mówią, że ilość wiedzy, jaką dysponujemy,
podwaja się co trzy lata, a my sami mamy stały i natych-
miastowy dostęp do globalnych informacji za pośrednictwem In-
ternetu, portali społecznościowych, smartfonów, telewizji kablowej
i satelitarnej, i innych kanałów masowej komunikacji. Żyjemy w erze
informacji.

To przeładowanie informacją niesie ze sobą pewien **problem**. Ilość informacji, które bombardują nas w każdym momencie każdego dnia, może wprowadzać chaos, kiedy staramy się poruszać według Bożego planu dla naszego życia. Powoduje też stres. Informacje, które do nas docierają, zwykle prezentują ciemną stronę medalu, bo dobrze sprzedają się przede wszystkim mroczne, agresywne i sensacyjne wiadomości! Właśnie takie informacje napędzają rynek, ale jednocześnie wprowadzają zamieszanie, zniechęcenie i przygnębienie, powodując poważne problemy w naszych sercach.

Bóg stworzył nas na **Swój** obraz; pragnął, abyśmy żyli i działali w atmosferze wiary. W Ps 100 Dawid poucza nas, żebyśmy przychodzili do Boga z uwielbieniem i dziękczynieniem. W Bożej obecności panuje atmosfera prawdy, wdzięczności i chwały, i On stworzył nas do życia właśnie w takich warunkach. Era mediów i informacji, w której dzisiaj żyjemy, nie sprzyja zbytnio rozwijaniu atmosfery prawdy, wdzięczności i chwały; zamiast tego tworzy pożywkę dla strachu,

> DAR PROROCTWA TO JEDNO Z NAJWSPANIALSZYCH NARZĘDZI DO TEGO, BY TWORZYĆ I CHRONIĆ BOŻĄ ATMOSFERĘ W NASZYM ŻYCIU I W ŻYCIU KOŚCIOŁA

paniki, podejrzeń, wyolbrzymiania, nieuzasadnionych oczekiwań i fałszywych oskarżeń. Stale otacza nas atmosfera niewiary, niewdzięczności i krytyki, co z kolei wywołuje strach, beznadzieję, niepewność i stres.

To jest kolejny powód, dla którego Bóg daje nam dar proroctwa. To jedno z najwspanialszych narzędzi do tego, by tworzyć i chronić Bożą atmosferę w naszym życiu i w życiu Kościoła. Apostoł Paweł napisał do wierzących w Koryncie, że powinni gorąco pragnąć darów duchowych, a **najbardziej** daru prorokowania (1Kor 14:1). Wyjaśnił, że celem proroctwa jest zbudowanie, zachęta i pociecha, tak aby chrześcijanie mogli dojrzewać w wierze i stać się sprawnie działającym Ciałem Chrystusa, jak tego pragnie Bóg.

Nasz Ojciec Niebieski daje swoim synom i córkom objawienie z nieba, by rzucić światło na otaczające ich okoliczności i wnieść zachętę i pociechę. Te prorocze objawienia są najlepszym antidotum na wszechobecny negatywizm. Pomagają nam podnieść wzrok ponad to, co nas spotyka, odnawiają i umacniają naszą nadzieję i potwierdzają drogę, którą Bóg nas prowadzi.

Nie tylko żyjemy w **świecie** przepełnionym negatywizmem, także nasze **kościoły** są przepełnione negatywnymi wpływami, krytycyzmem i niewiarą, wzmacnianymi m.in. przez niezdrowe manifestacje daru proroctwa. Niektóre kościoły uczą, że służba prorocza to Boży sposób na utrzymanie dyscypliny i karcenie, a nie narzędzie służące do tego, by nieść zbudowanie, zachętę i pociechę dla Ciała Chrystusa. Uważają, że prorocy to Boży posłańcy oznajmiający poszczególnym osobom lub całemu kościołowi Jego niezadowolenie, gniew i odrzucenie spowodowane grzechem lub niewypełnianiem Bożych standardów i oczekiwań. Trudno się więc dziwić, że działanie służby proroczej jest bardzo ograniczone lub w ogóle odrzucane przez niektóre kościoły, a ludzie wyposażeni w dar proroctwa są trzymani na dystans.

Mój przyjaciel, który jest pastorem, doświadczył tego rodzaju odrzucenia w swoim kościele. Wszystko zaczęło się od proroctwa wygłoszonego w klasycznym starotestamentowym stylu, które przyniosło druzgoczące konsekwencje. Dwaj mężczyźni, którzy byli związani z jego kościołem i u których rozpoznano dar proroctwa, podczas jednego ze spotkań w kościele, w czasie uwielbienia ogłosili wspólnocie i liderom, że Bóg jest niezadowolony i zagniewany. I z powodu Jego gniewu czeka ich nieunikniony sąd. Prorocy oznajmili, że w domu panowało bałwochwalstwo i Bóg nie był zadowolony. Ich słowa były oskarżające i wymagały reakcji ze strony przywództwa i wspólnoty kościoła. Posunęli się jeszcze dalej i wskazali źródło bałwochwalczych czynów – mojego przyjaciela, pastora! Wiem dobrze, że nikt z nas nie jest doskonały, ale znam tego człowieka prawie 25 lat. Głęboko kocha Boga, ma wspaniałą rodzinę i z pasją oddaje się pracy dla Boga i uczciwemu prowadzeniu swojego kościoła. Słowo prorocze przekazane przez tych dwóch mężczyzn spowodowało, że do kościoła wkradł się paraliżujący strach. Co robić, jeśli Bóg jest niezadowolony?

W odpowiedzi na słowo przekazane przez tych dwóch proroków kościół rozpoczął proces korygowania grzechu popełnionego przez pastora…, mimo że nie zidentyfikowano żadnego konkretnego obiektu rzekomego bałwochwalstwa! Ponieważ przywództwo kościoła (a także sam pastor) nie mogli określić, co może stanowić źródło grzechu, doszli do wniosku, że mój przyjaciel został zwiedziony na którymś etapie swojego życia, a ponieważ nie zostało to wcześniej wykryte i w tym stanie nadal prowadził kościół, to całkowicie zamaskował uprawiane bałwochwalstwo. Zdecydowali, że jemu i jego rodzinie należy zapewnić pomoc. Zawiesili go w pracy i wysłali z całą rodziną do centrum poradnictwa, by wszyscy mogli otrzymać należyte wsparcie. Po trzech miesiącach centrum poradnictwa stwierdziło, że mój przyjaciel i jego rodzina są zdrowi, że nie ma i nie było podstaw, by doszukiwać się w ich życiu bałwochwalstwa, i że doskonale nadają się do prowadzenia służby. Centrum zarekomendowało ich powrót do duszpasterskich obowiązków. Jednakże piętno fałszywego proroctwa pozostało i uruchomiło wieloletni proces, który zakończył się podziałem wspólnoty i batalią prawną.

Tego typu wydarzenia zbyt często stanowią normę, jeśli chodzi o rezultaty służby proroczej w kościele. Trudno się dziwić, że przywódcy kościoła i chrześcijanie w wielu wspólnotach są tak sceptyczni wobec proroctw. Potrzebujemy pełnej miłości Bożej zachęty, kierownictwa i pocieszenia, a zamiast tego otrzymujemy cios w twarz, którego wyrazem są gniew, frustracja i odrzucenie, rzekomo odzwierciedlające Boże uczucia w stosunku do nas.

Model służby proroczej opisany w Nowym Testamencie wygląda inaczej. I właśnie ten nowotestamentowy model przedstawiamy i promujemy w tej książce. Boże Słowo mówi, że miłość *wszystko zakrywa, wszystkiemu wierzy, ze wszystkim wiąże nadzieję, wszystko potrafi przetrwać* (1Kor 13:7). Wskazuje też, że celem proroctwa jest budowanie Ciała Chrystusa i że wszyscy mogą prorokować. Odkąd Duch Święty mieszka w każdym wierzącym, upominanie nie należy do głównych zadań proroka. Duch Święty jest zdolny do tego, by wskazać błąd w naszym postępowaniu i doprowadzić nas do pokuty. A jeśli proroctwo działa w kościele według modelu opisanego w Nowym Testamencie, przynosi zbudowanie, zachętę i pocieszenie (1Kor 14:3)!

Na przełomie 2003 i 2004 roku Bóg poprowadził mnie i moją żonę, Jan, do podjęcia nowej służby w kościele Gateway w Dallas/ Fort Worth w Teksasie. Wcześniej przez 22 lata pracowaliśmy i służyliśmy w kościele w Amarillo, a przez ostatnie 11 lat wspólnie z moim najlepszym przyjacielem pełniliśmy w nim funkcje pastorów przełożonych. Ja i moja żona byliśmy częścią grupy, która zakładała kościół w Amarillo – byliśmy jego członkami przez 27 lat. Mówię o tym, by pokazać, jak **ogromna** to była zmiana w naszej dotychczasowej drodze i w naszej służbie.

Gdy Bóg zaczął mówić do nas o tej zmianie kierunku, wiedzieliśmy, że potrzebujemy Jego jasnej wskazówki i potwierdzenia. W pierwszych dniach 2004 roku do naszego kościoła przyjechał prorok z bardzo czytelnym słowem zapowiadającym zmianę w naszym życiu. Nic nie wiedział o naszej sytuacji. Najpierw przekazał słowo mojemu najlepszemu przyjacielowi i współpastorowi o tym, że widzi zmianę w naszej relacji duszpasterskiej, i zapytał, co się dzieje między nami i wśród przywództwa w kościele. Później, podczas uwielbienia, poprosił moją żonę, Jan i mnie, i powiedział: „W 2004 roku otworzą się dla was pewne drzwi, przejdźcie przez nie". Następnie powiedział, że Boża ręka jest nad nami i że Bóg namaści nas w nowy sposób w tym nowym roku. To się nazywa potwierdzenie zmiany w życiu! To słowo zaowocowało w każdy możliwy sposób opisany w Piśmie w odniesieniu do proroctwa – stanowiło dla nas zachętę, potwierdziło Boży kierunek dla naszego życia, zbudowało naszą wiarę, dało nam pokój pośród wszystkich emocji związanych ze zmianą. Boża wierność i nasze pragnienie, by znać i pełnić jego wolę, otworzyły drzwi do tego, by przyjąć proroczą zachętę.

Wszyscy potrzebujemy i chcemy Bożego potwierdzenia i prowadzenia w różnych momentach naszego życia, niezależnie od tego, czego dotyczy sytuacja – może to coś drobnego, a może coś radykalnie zmieniającego nasze życie. Gdy moja córka, Lisa, była na pierwszym roku studiów, mieszkała daleko od domu. Jej serce było zwrócone do Boga i wrażliwe – pragnęła znać i wypełniać Jego wolę w swoim życiu. Bardzo chciała też zostać żoną i mamą. Cała nasza rodzina była dla niej przykładem takiego życia. Kiedy razem z Jan wybraliśmy się do niej w odwiedziny, by poznać młodego człowieka, z którym się spotykała, wydawało nam się, że ten chłopak nie ma w sobie tej samej miłości i pasji dla Boga, jaką miała Lisa. Ten przystojny młody mężczyzna ukończył już studia i podjął pracę. Gorąco zabiegał o naszą córkę, ale już nie tak bardzo o relację z Bogiem. Bardzo nas to martwiło. Gdy pewnego ranka modliłem się i robiłem notatki w moim dzienniku, skupiłem swoją modlitwę na Lisie. (To stała część mojej codziennej modlitwy, modlę się o Jan i o każde z moich dzieci. Robię to od ponad 28 lat). Gdy modliłem się do Pana i wyrażałem moje zatroskanie o związek Lisy z tym młodym człowiekiem, Pan powiedział do mnie: „Powiedz Lisie, że jeśli nie pójdzie na kompromis, przygotuję dla niej męża jej marzeń". Słowo było tak wyraźne, że musiałem się na chwilę zatrzymać i sprawdzić wszystkie czynniki, które mogły na nie wpłynąć. Czy to byłem ja czy Bóg? Gdy myślałem nad tym słowem i modliłem się dalej, wylałem przed Bogiem swoje myśli: „Ten konkretny chłopak nie może być tym, którego przygotowujesz dla Lisy, bo przecież nie tylko nie spełnia **moich**, ale też Twoich wymagań, prawda, Panie?". Ale Bóg nie powiedział już nic więcej. To było wszystko, co usłyszałem w tej sprawie – prosta obietnica. Ale te słowa były tak jasne i nieoczekiwane, że wiedziałem, że to Bóg.

Przy najbliższej okazji powiedziałem Lisie, że modliłem się o nią i Bóg do mnie przemówił. Lisa wiedziała, że się o nią modlę. Kiedy dorastała, zawsze otwarcie się z nią i o nią modliłem, więc nie była zaskoczona tym, co powiedziałem. W typowy dla siebie sposób, z otwartym sercem, jakie miała dla mnie i dla Boga, odpowiedziała: „No więc, Tato, co On powiedział?". Przekazałem jej słowo dokładnie tak, jak je usłyszałem: „Kochanie, usłyszałem, że powinienem ci powiedzieć, że jeśli nie pójdziesz na kompromis, Bóg

> **WSZYSCY POTRZEBUJEMY I CHCEMY BOŻEGO POTWIERDZENIA I PROWADZENIA W RÓŻNYCH MOMENTACH NASZEGO ŻYCIA**

przygotuje dla ciebie męża twoich marzeń". Chciałem powiedzieć więcej, chciałem dodać moją interpretację tego prostego stwierdzenia, coś w stylu: „I Bóg nie przygotowuje **tego** konkretnego chłopaka na męża twoich marzeń!", ale się powstrzymałem. Wiedziałem, że kiedy otrzymujemy słowo od Boga, musimy być ostrożni, by nie przekazywać naszej nadinterpretacji tego słowa i niczego do niego nie dodawać. Bóg jest w stanie zinterpretować swoją własną wiadomość dużo lepiej niż my to zrobimy.

Wkrótce Lisa zakończyła związek z chłopakiem, z którym się spotykała. Przez następne trzy lata od czasu do czasu prosiła mnie, żebym przypomniał jej, co Bóg powiedział do mnie podczas tamtej modlitwy, więc powtarzałem jej te słowa. Zapisałem je też w swoim dzienniku, więc czasami wyciągałem zeszyt, otwierałem na stronie, na której je zapisałem, i dawałem jej do przeczytania. Wyobraźcie więc sobie naszą radość, gdy podczas przyjęcia świątecznego organizowanego m.in. przez młodzież z naszego kościoła, poznała Bożego, młodego mężczyznę o imieniu Braxton. Braxton już od jakiegoś czasu był zaangażowany w naszym kościele i miał taką samą pasję dla Boga jak Lisa.

> SŁOWA PROROCZE PŁYNĄCE WPROST Z SERCA BOGA MOGĄ POCHODZIĆ OD RODZICÓW, WSPÓŁPRACOWNIKÓW, PRZYJACIÓŁ LUB OBCYCH LUDZI, ALE ZAWSZE BĘDĄ BUDOWAĆ, NIEŚĆ ZACHĘTĘ, WSKAZYWAĆ KIERUNEK I PRZYNOSIĆ POCIESZENIE DO NASZEGO ŻYCIA.

Gdy Lisa i Braxton zaczęli się spotykać, Bóg przemówił osobno do Jan i do mnie, i powiedział nam, że to jest mężczyzna, którego przygotowywał dla Lisy. W zachwycie i zdumieniu obserwowaliśmy, jak ich związek się rozwijał. Jak Maria, matka Jezusa, przechowywaliśmy te słowa od Boga w naszych sercach aż do dnia, kiedy Lisa powiedziała nam, że Braxton chciałby ze mną o czymś porozmawiać. Gdy usiedliśmy nad szklanką coli, Braxton poprosił mnie o rękę Lisy. Dopiero wtedy opowiedziałem mu (a później im obojgu) historię słowa, które dał nam Bóg, i tego, w jaki sposób przez tyle lat Bóg pracował nad rozwinięciem ich związku.

A wszystko zaczęło się od słowa proroczego, które Bóg dał mi podczas modlitwy. To było słowo zachęty i wskazówki, słowo, które przyniosło pokój i pocieszenie. Nie wszystkie słowa prorocze muszą padać na nabożeństwie w czasie uwielbienia lub z ust osoby zaangażowanej w służbę prorocką. Słowa prorocze płynące wprost z serca Boga mogą pochodzić od rodziców, współpracowników, przyjaciół lub obcych ludzi, ale **zawsze** będą budować, nieść zachętę, wskazywać kierunek i przynosić pocieszenie do naszego życia.

Biblia mówi, że świadectwem Jezusa jest duch proroctwa (Obj 19:10). Potrzebujesz dobrej nowiny? Czy w tym negatywnym i zniechęcającym świecie, przepełnionym złymi wiadomościami, bombardującym nas informacjami przez 24 godziny na dobę, 7 dni w tygodniu, potrzebujesz słowa zachęty, wskazania kierunku i potwierdzenia od Boga w okolicznościach, w jakich akurat się znajdujesz? A może potrzebujesz pociechy w trudnościach, z którymi musisz się zmierzyć? Ewangelia Jezusa jest **dobrą** nowiną! Co jakiś czas – częściej, niż nam się wydaje lub niż chcemy się do tego przyznać – musimy sobie o tym przypominać. To dobra nowina, że nasze grzechy są wybaczone! To dobra nowina, że możemy odnowić relację z Bogiem nie dzięki naszej sprawiedliwości, ale dzięki sprawiedliwości Jezusa Chrystusa! To dobra nowina, że Bóg zna każdy szczegół naszego życia. I to dobra nowina, że On **ciągle** działa, by zrealizować w naszym życiu swój plan.

CZĘŚĆ 3

Błędne założenia dotyczące służby proroczej

8

BÓG MÓWI DO NAS TYLKO PRZEZ PISMO

Tom Lane

Pewnego dnia jadłem obiad w towarzystwie mojego przyjaciela, pastora innego zboru w tym samym mieście. Oba nasze kościoły były na tyle duże, że wpływ, jaki wywierały w mieście, wykraczał poza granice naszych dzielnic. Były pomiędzy nami teologiczne różnice, ale łączyła nas relacja z Jezusem Chrystusem, wzajemny szacunek i głębokie pragnienie, by pomagać ludziom. Pewnego dnia podczas rozmowy weszliśmy na temat, w jaki sposób Bóg działa i jak objawia się w życiu ludzi. Skupiliśmy się na tym, w jaki sposób Bóg mówi do ludzi, i po jakimś czasie ożywionej przyjacielskiej dyskusji mój przyjaciel oznajmił mi: „Nie wierzę, że Bóg mówi w sposób, o którym ty mówisz!". Na co ja odpowiedziałem: „Ależ wierzysz!". I zaczęło się odbijanie piłeczki. „Nie, nie wierzę!" – odpowiedział, a ja wmawiałem mu, że jednak wierzy. Zachowywaliśmy się jak dzieci sprzeczające się w piaskownicy, przerzucając „piasek" tam i z powrotem: „Tak, wierzysz!". „Nie, nie wierzę!". „Tak, wierzysz!". W końcu powiedziałem: „Dobrze, udowodnię ci, że mamy takie samo zdanie w tej sprawie". I zapytałem go: „Kiedy przygotowujesz się do wygłoszenia kazania, czy Bóg do ciebie mówi?". „Tak, mówi przez swoje Słowo" – odpowiedział. Przytaknąłem: „To prawda, mówi do ciebie przez swoje Słowo, ale potem, gdy wygłaszasz kazanie, On osobiście w nadprzyrodzony sposób mówi też do ludzi, tak? Mówi do ich serc, czasami pobudzając ich do reakcji na Jego słowo, które ty głosiłeś, czy tak?". Mój znajomy pastor po raz kolejny przytaknął, a ja kontynuowałem: „Tak więc, Bóg mówi do ludzi i przekazuje im pewne informacje za pośrednictwem twojego kazania, a to może skłaniać ich do podjęcia jakichś działań. Wiemy, że to On, bo są one zgodne z zasadami zawartymi w Biblii, zgadzasz się?". Ostrożnie, jakby czuł, że zwabiam go w pułapkę, odpowiedział: „T-a-k". Zapewniłem go wtedy: „Tak jak ty, nie wierzę, że Bóg daje nam dziś jakieś nowe objawienie lub mówi coś, co nie byłoby zgodne z Jego objawionym Słowem, które jest spisane i zawarte w Biblii. Obaj wierzymy więc, że Bóg mówi w ten sam sposób. Widzisz, mówiłem ci, że zgadzamy się w tej kwestii".

GDY NIE ROZUMIEMY OKOLICZNOŚCI, W KTÓRYCH SIĘ ZNALEŹLIŚMY, I NIE WIEMY, CO ROBIĆ DALEJ, POTRZEBUJEMY, BY BÓG DO NAS PRZEMÓWIŁ

Po czym dodałem: „Ja po prostu wierzę, że Bóg mówi **przez cały czas**, nie tylko wtedy, gdy stoimy za kazalnicą, a to, co mówi, **nigdy** nie jest sprzeczne z Jego charakterem lub z zasadami Jego Słowa".

Niektórzy moi przyjaciele, duchowni, próbują mnie przekonać, że nie potrzebujemy żadnych kolejnych objawień, bo Jezus był pełnym objawieniem Boga. Uzasadniają to tym, że On jest Słowem, a Słowo stało się ciałem i zamieszkało między nami, i przez Niego mamy wszystko, czego potrzebujemy. I mówią, że Paweł pisał o tym w Pierwszym Liście do Koryntian:

Zresztą nasza wiedza jest i tak wycinkowa, a prorokowanie dotyczy tylko części spraw. Gdy nastanie czas doskonałości, to, co ograniczone, utraci swe znaczenie. Kiedy byłem dzieckiem, mówiłem jak dziecko, myślałem jak dziecko, rozumowałem jak dziecko. Gdy stałem się mężczyzną, zaniechałem dziecięcych spraw. Mówię tak, gdyż teraz widzimy zagadkowe kontury. Nadejdzie jednak czas, gdy zobaczymy twarzą w twarz. Teraz poznaję po części. Przyjdzie jednak czas, kiedy poznam tak, jak zostałem poznany. Teraz trwają: wiara, nadzieja i miłość – te trzy. A z nich największa jest miłość.

1 List św. Pawła do Koryntian 13:9-13

Uważam, że w tym fragmencie Paweł odnosił się do czasu, kiedy Jezus powróci na ziemię, by przyjąć swoją Oblubienicę…, a nie do okresu, w którym chodził po ziemi jako człowiek. Porównania, których używa Paweł – do dziecka, które staje się mężczyzną, i do tego, że teraz widzimy niejasne kontury, mają sens tylko w kontekście powtórnego przyjścia Chrystusa. Gdy Chrystus przyjdzie po raz drugi i zabierze tych, którzy są Jego, wówczas będę doskonały, będę doskonale widział i poznam wszystko tak jak On. Dziś jednak nie mam tej wiedzy. Wciąż potrzebuję, by On do mnie mówił, by mnie prowadził i pokazywał wszystko, co chce, bym dla Niego robił.

Najlepszym argumentem w kwestii mówienia Boga do człowieka jest to, że sam Jezus rozmawiał o tym ze swoimi uczniami:

Ja jestem dobrym pasterzem. Znam moje owce. One też Mnie znają, podobnie jak Ojciec zna Mnie, a Ja znam mego Ojca. I za owce oddaję własne życie. Mam też inne owce, nie należące do tej zagrody. Te również muszę sprowadzić. Będą one słuchać mojego głosu i powstanie jedno stado i jeden pasterz.

Ewangelia św. Jana 10:14-16

Jezus oświadcza, że będzie mówił do swoich owiec, a Jego owce będą znały Jego głos i będą za Nim szły. Tylko jak mamy rozpoznać

Jego głos? Jezus powiedział, że będziemy znali Jego głos, bo Duch Święty będzie z nami. Zostawił nam te pocieszające słowa, by uspokoić nasze obawy i lęki:

Lecz Ja mówię wam prawdę: Lepiej dla was, abym Ja odszedł. Bo jeśli nie odejdę, Opiekun do was nie przyjdzie, natomiast jeśli odejdę – poślę Go do was.

Ewangelia św. Jana 16:7

Życie jest czasem takie trudne, a okoliczności tak przytłaczające, że wskazówka, którą drogą dalej iść, staje się nie tylko czymś pożądanym, ale **kluczowym**. Niezliczone możliwości i wciąż zmieniające się okoliczności wołają o naszą uwagę. Potrzebujemy mądrości z nieba, by wiedzieć, co robić, kiedy i w jaki sposób. Zwłaszcza gdy nie rozumiemy okoliczności, w których się znaleźliśmy, i nie wiemy, co robić dalej, potrzebujemy, by Bóg do nas przemówił. Gdy szukamy rozwiązania trudnej sytuacji lub potwierdzenia od Boga, że jest z nami, kieruje i nie spóźni się ze swoimi rozwiązaniami, potrzebujemy słowa mądrości. A czasami potrzebujemy po prostu, by Bóg nas zachęcił, wyjaśnił cel konkretnej sytuacji i pokazał, w jaki sposób w niej działa. Potrzebujemy zapewnienia, że On się o nas troszczy.

W Prz 2:6 czytamy: *Gdyż Bóg daje mądrość, z jego ust pochodzi poznanie i rozum*. Natomiast w Liście Jakuba znajdujemy takie słowa:

*Drodzy bracia, za najwyższą radość uważajcie te chwile, gdy jesteście poddawani przeróżnym próbom. Wiedzcie, że takie doświadczanie waszej wiary kształtuje wytrwałość. Wytrwałość natomiast niech was prowadzi do dzieła doskonałego, abyście byli doskonali, nienaganni i bez jakichkolwiek braków. **Jeśli komuś z was brak mądrości, niech prosi o nią Boga**, który obdarza wszystkich szczodrze i bez wypominania – i mądrość będzie mu dana. Niech jednak prosi z wiarą, porzuci wątpliwości, bo* *człowiek, który wątpi, przypomina falę morską, gnaną i miotaną przez wiatr. Ktoś taki niech nie liczy, że coś od Pana otrzyma, dlatego że on sam nie wie, czego chce, jest niestały w całym swoim postępowaniu.*

List św. Jakuba 1:2-8; wyróżnienie dodane

Podczas pewnego sobotniego nabożeństwa Pan skierował moją uwagę na kobietę stojącą na końcu sali. Spojrzałem na nią i Pan przemówił do mojego serca. Powiedział: „Powiedz jej, że ta możliwość pochodzi z Mojej ręki i jeśli powie TAK, będę z nią i pomogę jej sprostać temu zadaniu. Powiedz jej, że jej pobłogosławię, jeśli odpowie na tę szansę, bo to ja ją daję".

Gdy Bóg mówi do mnie w ten sposób, to nie jest słyszalny głos; to raczej wrażenie w mojej świadomości. Zwykle (ale nie zawsze) jest ono skierowane do kogoś, kogo nigdy nie spotkałem, i dotyczy sytuacji, o której nie mam pojęcia. Wierzę, że Duch Święty, który we mnie mieszka, dostarcza te informacje do mojej świadomości i chce mnie użyć w roli posłańca – bym przekazał słowo wskazanej przez Niego osobie.

Dokładnie tak wyglądało to w tym przypadku. Gdy uwielbienie zbliżało się do końca, wyszedłem do przodu i powiedziałem, że mam słowo od Boga dla pani stojącej w tylnym rzędzie. Gdy ją opisywałem, nawiązałem z nią kontakt wzrokowy, a ona potwierdziła, że wie, że to o nią chodzi. Nie znałem tej kobiety i wydaje mi się, że nigdy wcześniej jej nie spotkałem. Powiedziałem, że słowo, które Pan dał mi dla niej, brzmi: „Jeśli odpowiesz TAK na tę możliwość, którą przed tobą otworzyłem, będę z tobą i pomogę ci sprostać temu zadaniu". Powiedziałem też, że Pan zapewnia ją, że będzie jej błogosławił, jeśli przejdzie przez otwarte drzwi, bo ta szansa pochodzi od Niego. Zakończyłem pytaniem, czy to, co powiedziałem, ma dla niej sens. Skinęła potwierdzająco głową, podczas gdy cała wspólnota zaczęła klaskać, po czym kontynuowaliśmy nabożeństwo, witając przybyłych gości i głosząc kazanie.

Kiedy nabożeństwo się skończyło, kobieta, której przekazałem słowo, podeszła bliżej i niecierpliwie czekała, aż poświęcę jej trochę uwagi. Zaczęła naszą rozmowę od pytania: „Co to było?". Pomyślałem: „No, pięknie, słowo było nietrafione i zawstydziłem ją (a to jest coś, czego nigdy nie chcę robić, gdy przekazuję komuś słowo).

JEŚLI OGRANICZYMY BOŻĄ ZDOLNOŚĆ POROZUMIEWANIA SIĘ Z NAMI TYLKO DO PISMA, TO STRACIMY MOŻLIWOŚCI NA POZYSKANIE MĄDROŚCI I KONKRETNEJ WSKAZÓWKI CZY POCIESZENIA, KTÓRE PRZYCHODZĄ WRAZ Z DZIAŁANIEM DUCHA ŚWIĘTEGO W OKREŚLONEJ SYTUACJI

Odpowiedziałem: „No cóż…, Biblia nazywa to słowem proroczym. Wierzymy, że to jest coś, co Bóg daje ludziom, by wskazać im kierunek, zachęcić i pocieszyć. Co myślisz o tym konkretnym proroczym słowie?". Powiedziała: „O rety! Skąd wiedziałeś?". Odparłem: „Nie wiedziałem! Nie wiem, co znaczy to słowo, ale zakładam, że to wiadomość od Boga, który chce ci w ten sposób pomóc. Możesz mi powiedzieć, jakie to ma dla ciebie znaczenie?".

Opowiedziała mi, że w miniony piątek zaproponowano jej awans. Jednak ona czuje się niekompetentna do pełnienia zaproponowanej funkcji i przez cały weekend zastanawiała się, czy powinna przyjąć awans czy go odrzucić. Powiedziała: „Oczekują, że w poniedziałek dam im odpowiedź". Z dalszej rozmowy wyniknęło, że tego dnia pierwszy raz przyszła do naszego kościoła. Nie mogła wyjść z podziwu, jak Bóg odpowiedział na jej potrzebę odnośnie podjęcia decyzji, przed którą stała, i jak konkretna i adekwatna do sytuacji była ta odpowiedź. Przyszła na nabożeństwo pełna niepokoju, czując, że potrzebuje odpowiedzi od Boga, a wychodziła z jasną wskazówką i z poczuciem głębokiego pokoju co do awansu, który jej zaproponowano.

Odkryłem, że Bóg chce być dużo bardziej zaangażowany w sprawy naszego życia, niż my sami jesteśmy chętni Go do nich zapraszać. Każdego dnia stajemy wobec decyzji (jak wspomniana w mojej historii kobieta), co do których nie da się znaleźć bezpośrednich wskazówek w konkretnym rozdziale czy wersie Biblii. Potrzebujemy Bożej mądrości w tych sytuacjach. Jeśli ograniczymy Bożą zdolność porozumiewania się z nami tylko do Pisma, to stracimy możliwości na pozyskanie mądrości i konkretnej wskazówki czy pocieszenia, które przychodzą wraz z działaniem Ducha Świętego w określonej sytuacji.

Kiedy jestem w grupie ludzi, nie przytłacza mnie natłok proroczych słów do każdej z obecnych osób. Natomiast prawie zawsze, kiedy zatrzymam się na chwilę i poproszę Boga, by do mnie przemówił, otrzymuję słowo lub obraz. Przez lata nauczyłem się badać te słowa i obrazy. Zadaję sobie wówczas podstawowe pytanie – czy wiadomość spełnia trzy główne kryteria: budowania, zachęcania i pocieszania. Jeśli tak, to zastanawiam się, czy okoliczności sprzyjają przekazaniu słowa. Wyczucie chwili jest kluczowe. Dotyczy to zarówno sfery fizycznej, jak i duchowej. Jeśli otrzymałem słowo, które przeszło potrójny test, ale okoliczności nie są sprzyjające, by przekazać wiadomość, zatrzymuję ją dla siebie.

Co rozumiem przez odpowiednie okoliczności? Zadaję sobie pytanie, czy mogę w naturalny sposób, bez przerywania czegokolwiek i tworzenia niezręcznej sytuacji, przekazać słowo. Czy przekazanie słowa jakiejś osobie lub grupie nie wiąże się z tym, że musiałbym przejąć kontrolę nad sytuacją? Jeśli tak, to nie robię tego. Wierzę, że Bóg jest dżentelmenem i jako jego reprezentant muszę brać pod uwagę, że okoliczności przekazania słowa są tak samo ważne jak jego treść i forma przekazania. Jeśli moment nie wydaje się być stosowny, modlę się o otrzymane słowo i przechowuję je, aż nadejdzie odpowiednia chwila, by je przekazać. A jeśli taka możliwość się nie pojawia, wtedy zakładam, że Bóg zwyczajnie dał mi zrozumienie jakiejś sytuacji, żebym się w tej sprawie modlił. Jako słudzy Boga mamy Go reprezentować i współpracować z Nim we wszystkim, co robimy, a nie szukać przestrzeni do budowania swojej reputacji na Jego koszt. Paweł odnosił się do tego, gdy mówił: *Duch działający w prorokach nie krępuje ich woli* (1Kor 14:32).

Niedawno byłem na lotnisku. Gdy siedziałem przy bramce, czekając na rozpoczęcie odprawy, i spojrzałem na twarze pasażerów, mój wzrok przykuła pewna kobieta. Siedziała na fotelu z książką w dłoni. Wyglądała tak, jakby siedziała tam od dawna…, jakby była w swoim domu, we własnym salonie, zawinięta w miękki szlafrok, z kapciami na nogach i kubkiem kawy w dłoni, czytając przy kominku swoją ulubioną książkę… Gdy skupiłem na niej swoją uwagę, nagle zobaczyłem wyraźny obraz. Wiedziałem, że ten obraz pochodzi od Pana i ma związek z celem podróży tej kobiety. Gdy zastanawiałem się nad treścią tego, co otrzymałem, zapytałem Pana, co powinienem zrobić z tą informacją. Czy powinienem podejść i przerwać jej ten przyjemny moment? Sprawdziłem, czy to, co widzę, zdaje potrójny test, a więc czy jest budujące, zachęcające i pocieszające. Byłem też gotowy i chętny do tego, by podjąć ryzyko i przekazać słowo, nawet gdyby ta kobieta miała pomyśleć, że jestem trochę dziwny, ale brakowało odpowiednich okoliczności, by to zrobić. Modliłem się i prosiłem Pana, by je dla mnie stworzył, jeśli chce, bym przekazał jej to słowo. Wszystkie miejsca wokół niej były zajęte, więc pomyślałem, że na dobry początek Bóg mógłby sprawić, że jedna z siedzących obok niej osób wstanie i zwolni dla mnie miejsce. Tak się jednak nie stało. Potem pomyślałem, że moglibyśmy usiąść obok siebie w samolocie, co stworzyłoby możliwość rozmowy i przekazania słowa, ale nie siedzieliśmy obok siebie. Na koniec przyszło mi do głowy, że może przy okazji odbierania bagażu uda nam się nawiązać kontakt, co uzasadniłoby to, że ją zaczepiam i wówczas podzieliłbym się z nią otrzymanym słowem, ale ten scenariusz też się nie zrealizował.

Mogłem do niej podejść i stworzyć okoliczności, by przekazać jej słowo. I choć czasami Bóg może nas w ten sposób poprowadzić, to myślę, że musimy być ostrożni i raczej poczekać na konkretne wskazówki. Jeśli nie ma odpowiednich okoliczności, twoją automatyczną reakcją powinno być powstrzymanie się od przekazania słowa. Wyczucie czasu jest kluczowe! I chociaż jestem przekonany, że słowo, które otrzymałem, było od Boga, to czuję, że nie do mnie należało jego przekazanie. Natomiast byłem odpowiedzialny za to, by się o nią pomodlić. Myślę, że także to miał na myśli Paweł, opisując współpracę w służbie pomiędzy nim i Apollosem:

> BÓG OBJAWIA SIĘ NAM NA RÓŻNE SPOSOBY. JEGO DZIEŁA NAS OTACZAJĄ

> *Ja zasadziłem, Apollos podlał, lecz wzrost był sprawą Boga. Nie liczy się zatem ten, kto sadzi, ani ten, kto podlewa, tylko Bóg, który daje wzrost. Między tym, który sadzi, i tym, który podlewa, nie ma wielkiej różnicy – stosownie do swego wysiłku każdy odbierze zapłatę. My, jako należący do Boga, jesteśmy współpracownikami; a wy – Bożą rolą oraz Jego budowlą.*
>
> 1 List św. Pawła do Koryntian 3:6-9

Bóg objawia się nam na różne sposoby. Jego dzieła nas otaczają. Jeśli pragniemy, by do nas mówił, będzie do nas mówił – On jest wierny i ochroni nas przed wprowadzeniem nas w błąd. On jest niezmienny. Jest taki sam wczoraj, dziś i na wieki. Nie jest kapryśny czy humorzasty. Nigdy nie wstaje lewą nogą. I nie zmienia swojej osobowości jak Dr Jekyll i Mr. Hyde. Możesz mieć pewność, że **każde** Jego słowo będzie **zawsze** zgodne z Jego naturą i charakterem, które Biblia tak jasno przed nami maluje, abyśmy mogli się im przyjrzeć, poznawać je i uczyć się.

Bóg wciąż dzisiaj mówi. Czy jesteś otwarty na rzeczy, które On chce przekazać?

9

PROROCY TO STRAŻNICY NA MURACH

Tom Lane

⌄

Stary Testament jest pełen fragmentów opisujących przewrotne i krnąbrne zachowania Bożego ludu. Z powodu notorycznej tendencji ludzkości do odchodzenia od relacji z Bogiem, Bóg wyznaczył proroków, by byli Jego głosem do ludu. Bóg ustanowił ich strażnikami, by nadzorowali Jego lud i czuwali nad jego postępowaniem w oparciu o zawarte przymierze.

STRAŻNICY NA MURACH

Skąd wzięła się ta mentalność „strażników na murach"? Jest ona zakorzeniona w starotestamentowym modelu służby proroczej i w rzeczywistości tamtych czasów. Ludzie chronili się przed atakiem wrogów, otaczając miasta, w których żyli, solidnymi murami. Strażnicy zajmujący pozycje na murze mieli za zadanie rozpoznać zagrożenie i ostrzec mieszkańców przed zbliżającym się niebezpieczeństwem. W Iz 62:6 czytamy: *Na twoich murach, Jeruzalem, postawiłem stróżów: przez cały dzień i przez całą noc, nigdy nie umilkną.*

Patrząc z perspektywy potrzeby zapewnienia bezpieczeństwa, strażnicy byli powoływani do Bożej służby. W 2Krl 11:18 czytamy:

Wtedy cały prosty lud wtargnął do świątyni Baala i zburzyli ją, jego ołtarze i posągi doszczętnie zniszczyli, Mattana zaś, kapłana Baala, zabili przed ołtarzami. Następnie ustanowił kapłan straż nad świątynią Pana. Także prorok Ezechiel otrzymał od Boga podobne zadanie: Synu człowieczy: Na stróża domu izraelskiego cię powołałem! Ilekroć usłyszysz słowo z moich ust, ostrzeż ich w moim imieniu.

Księga Ezechiela 3:17

Bóg zawsze pragnął komunikować się ze swoimi dziećmi. Tak jak kochający ojciec, Bóg chce być w kontakcie ze swoimi dziećmi i prowadzić je drogami, którymi powinny iść. Po raz pierwszy możemy to zaobserwować w Jego relacji z Adamem i Ewą w ogrodzie Eden. Biblia mówi, że Bóg przechadzał się z Adamem i Ewą w powiewie dnia, ale grzech odmienił pragnienie Adama i Ewy i już nie chcieli rozmawiać z Bogiem twarzą w twarz (1Mż 3:8-9). Wstyd z powodu grzechu kazał im się okryć i ukryć przed Bogiem.

Izraelici prosili Mojżesza, by rozmawiał z Bogiem w ich imieniu i przekazywał im to, co Bóg miał im do powiedzenia:

A gdy wszystek lud zauważył grzmoty i błyskawice, i głos trąby, i górę dymiącą, zląkł się lud i zadrżał, i stanął z daleka, i rzekli do Mojżesza: Mów ty z nami, a będziemy słuchali; a niech nie przemawia do nas Bóg, abyśmy nie pomarli.

2 Księga Mojżeszowa 20:18-19

Bóg wysłuchał ich prośby i podczas wędrówki po pustyni rozmawiał z nimi za pośrednictwem Mojżesza. Ten paradygmat utrzymywał się przez cały Stary Testament. Bezpośredni kontakt Boga z ludźmi został ograniczony do kilku wybranych osób. Bóg mówił do swojego ludu przez wyznaczonych przywódców, którymi byli sędziowie, a także przez wybranych przedstawicieli, takich jak Samuel, Jonasz i wielu innych proroków, bo zdecydował się uszanować pragnienie ludzi, by nie rozmawiali z Nim twarzą w twarz.

Wielu ludzi błędnie odwołuje się do podobnych fragmentów ze Starego Testamentu, by uzasadnić swoje przekonanie, że Bóg wciąż potrzebuje mężczyzn i kobiet, którzy będą stać na straży Jego przymierza z ludźmi. Wierzą, że zadanie proroków polega na nieufnym śledzeniu wykroczeń popełnianych przez lud Boży i przez jego przywódców. Ale ten model nie przystaje do podejścia opierającego sie na bliskiej relacji, podejścia które przewija się przez cały Nowy Testament.

> **TAK JAK KOCHAJĄCY OJCIEC, BÓG CHCE BYĆ W KONTAKCIE ZE SWOIMI DZIEĆMI I PROWADZIĆ JE DROGAMI, KTÓRYMI POWINNY IŚĆ**

Zanim w 2004 roku dołączyłem do Kościoła Gateway, przez 27 lat służyłem jako lider różnych grup w naszym kościele Trinity Fellowship w Amarillo w Teksasie. Na początku lat 80-tych, gdy Trinity Fellowship był jeszcze młodą wspólnotą, jeden z członków kościoła poprosił o możliwość spotkania się ze starszymi. Powiedział, że ma im do przekazania coś ważnego od Pana i chciał, by cała rada starszych usłyszała to w tym samym momencie i by wspólnie mogli rozważyć otrzymane słowo. Przekonany, że to niezwykle ważne, by podzielił się tym słowem od razu ze wszystkim osobami z rady, prosił o taką możliwość, i nie chciał konsultować wcześniej tego słowa ze mną lub z innym liderem. Poddanie się jego prośbie było z mojej strony szkolnym błędem. Dzisiaj wiem, że jeśli prorok nie zgadza się na to, by słowo zostało zbadane, zanim przekaże je dalej, to jest to jasna wskazówka, że on sam nie jest podporządkowany przywództwu kościoła. Niechęć do tego, by poddać słowo pod rozwagę, właściwie podważa jego pochodzenie i powoduje, że jest ono nieuprawnione, niezależnie od treści, jaką niesie. Wszyscy byliśmy wtedy mocno niedoświadczeni i szczerze pragnęliśmy przyjąć wszystko, co Bóg miał dla naszego kościoła, przystaliśmy więc na jego prośbę i zaplanowaliśmy spotkanie, nie sprawdzając wcześniej tego, co miał nam do powiedzenia. Podchodziliśmy do tego spotkania z pewną dozą ostrożności, ale ten mężczyzna był oddanym członkiem wspólnoty, regularnie uczęszczał na nabożeństwa, był ofiarny i zaangażowany, więc byliśmy skłonni go wysłuchać. Na spotkaniu oznajmił nam, że Bóg wyznaczył go na proroka w naszej wspólnocie. Wierzył, że Bóg chce, by był „strażnikiem na murze". Wyjaśnił nam, w jaki sposób Bóg przydzielił mu to zadanie i jak ważne jest to, byśmy zaakceptowali jego rolę, bo dzięki temu Bóg będzie mógł w pełni zrealizować swoje dzieło za pośrednictwem naszego kościoła.

Trinity Fellowship jest kościołem, który przyjmuje wszystkie dary Ducha Świętego jako wyraz Jego działania ukierunkowanego na oddanie chwały Jezusowi, dlatego słowa tego mężczyzny absolutnie nie wykraczały poza nasze spojrzenie na służbę i duszpasterstwo. Pastorzy i starsi Trinity Fellowship zawsze gorliwie koncentrowali się na tym, by słuchać Boga i być Mu posłusznymi, więc tego rodzaju wypowiedź przyjęto bardzo poważnie. Rozważaliśmy stwierdzenie, że Bóg wyznaczył tego człowieka na naszego „proroka", wierząc w to, że dary Ducha Świętego działają dziś w Kościele, i pragnąc podążać za Bożym planem dotyczącym wszystkiego, co wiązało się z prowadzeniem Kościoła. Po jakimś czasie doszliśmy do wniosku, że przynajmniej dwie rzeczy wskazują, że słowa tego mężczyzny nie są słowami od Boga dla naszej wspólnoty. Odpowiedzieliśmy mu tak łagodnie, jak tylko się dało, ale jednocześnie byliśmy bardzo stanowczy, tak by nie miał wątpliwości co do naszej opinii i by zrozumiał nasze stanowisko. Przede wszystkim powiedzieliśmy mu, że nie wierzymy, by Bóg potrzebował „strażnika na murze" nieufnie obserwującego kościół w oczekiwaniu na klęskę. Jednocześnie przyznaliśmy, że on sam może być obdarzony darem proroctwa i może nawet pełnić rolę proroka dla jakiejś innej wspólnoty; po prostu nie wierzyliśmy, że wypełnia tę funkcję w odniesieniu do nas i naszego kościoła.

Chcieliśmy, by ten komunikat był dla niego jasny i czytelny. Nasza decyzja miała podwójne uzasadnienie. Po pierwsze, ten człowiek prezentował postawę braku zaufania, która zdawała się leżeć u podstaw jego samodzielnego mianowania się na proroka. Choć był członkiem naszego kościoła, nie sprawował żadnej funkcji ani nie pełnił roli lidera. Czuliśmy, że gdyby Bóg wyznaczył kogoś do objęcia urzędu proroka w naszym kościele, nie byłby to „strażnik na murze", ale osoba rozpoznana jako lider, pracująca ramię w ramię z innymi liderami, wspólnie uczestnicząca w realizacji Bożego dzieła. Wierzymy, że prorok to osoba służąca w kościele i jest częścią zespołu przywódców, którzy są podporządkowani sobie nawzajem i odpowiedzialni przed sobą nawzajem. Po drugie, czuliśmy, że jego wypowiedź sugeruje, że tylko jedna osoba może być wyznaczona do tego, by przyjmować i przekazywać Boże słowo objawienia lub potwierdzenia Bożego kierunku dla naszego kościoła. Zasadniczo nie zgadzaliśmy się z takim poglądem na Boże prowadzenie kościoła i z takim rozumieniem służby proroczej we wspólnocie. Mieliśmy poczucie, że jego słowo zakładało, iż bez niego jako proroka nie będziemy w stanie właściwie usłyszeć tego, co Bóg ma nam do powiedzenia, a co gorsza, możemy popełnić błąd, który pozbawiłby nas Bożego błogosławieństwa i zablokował Jego działanie wśród nas. I choć oba te przypadki potencjalnie mogą mieć miejsce, nie mieliśmy przekonania, żeby Boży pomysł na urząd i służbę proroczką w Kościele polegał na ich całkowitej niezależności od kościelnego przywództwa. Proroka także obowiązuje dane przez Jezusa przykazanie miłości (J 13:34), więc jak miałby służyć kościołowi i jego przywódcom, gdyby jego działanie opierało się na podstawowym braku zaufania? Nie zgadzaliśmy się również z podejściem, że urząd i służba prorocka istnieją po to, by pełnić rolę jedynego obrońcy chroniącego przed każdym niebezpieczeństwem i błędem w Kościele. Urząd proroka i służba prorocza istnieją po to, by budować Kościół, i osoby obdarzone tym darem muszą uczestniczyć w jego przywództwie.

Gdy przekazaliśmy temu człowiekowi naszą odpowiedź, zareagował negatywnie. Oskarżył nas o to, że sprzeciwiamy się Bogu i zamykamy się na Jego głos, by chronić swoją pozycję liderów. Zapowiedział, że nasza decyzja pociągnie za sobą sąd i tragiczne konsekwencje. Nawiasem mówiąc, to kolejne błędne przekonanie związane często ze służbą proroka. Za służbą niektórych proroków stoi przeświadczenie, że odrzucenie proroka lub jego przesłania równa się z odrzuceniem Boga. To błędne podejście doprowadziło do wielu nadużyć i przysporzyło darowi proroctwa złej sławy w Kościele. Jednak jeśli patrzymy na służbę proroczą i jej funkcję w Kościele z perspektywy Nowego Testamentu, to okazuje się, że taki pogląd nie ma umocowania w Piśmie. Boże Słowo poucza nas, żebyśmy badali duchy, by sprawdzić, czy pochodzą od Boga (1J 4:1). Mówi też, że służba prorocza istnieje po to, by budować, zachęcać i pocieszać poszczególne osoby i Kościół jako całe ciało (1Kor 14:3), co nie ma zbyt wiele wspólnego z duchem upominania i braku poddania, który tak często towarzyszy dziś służbie proroczej.

> GDY PROROCY NIE WSPÓŁPRACUJĄ Z PRZYWÓDZTWEM KOŚCIOŁA, SŁUŻBA PROROCZA SZYBKO STAJE SIĘ TYLKO KONTRPRODUKTYWNYM CZEPIANIEM SIĘ SZCZEGÓŁÓW

NA WYCIĄGNIĘCIE RĘKI

Czy służba prorocza powinna być niezależna od relacji panujących w kościele i niezależna od przywództwa? Niektórzy odpowiedzieliby, że tak, ponieważ istnieje niebezpieczeństwo, że prorok, który pozostaje w bliskiej relacji z przywództwem kościelnym, będzie pobłażliwie traktować słabości i grzechy liderów, co może niekorzystnie wpłynąć na treść i cel proroctwa. Czy prorocy naprawdę muszą stać na zewnątrz kościoła i z dystansu wykrzykiwać słowa wskazujące kierunek i wydające osąd, by ich służba pozostała bezkompromisowym, a przez to prawomocnym, przekazem od Boga? Ale gdzie w tym przypadku miejsce na jedność Ciała Chrystusa i jego przywództwa? Czy nie powinniśmy być jedno, jak On jest jedno?

Gdy prorocy nie współpracują z przywództwem kościoła, służba prorocza szybko staje się tylko kontrproduktywnym czepianiem się szczegółów. Patrząc z tej perspektywy, prorok przyjmuje rolę agenta, który czuje się odpowiedzialny za upominane pastorów, liderów i członków wspólnoty, oskarżanych (przez zespół prorocki) o wywoływanie Bożego niezadowolenia i o postępujące oddalanie się od Niego w służbie. Z powodu negatywnego, krytycznego tonu, zarówno przesłanie takich proroków, jak i cała służba prorocza napotykają na bezpośredni lub subtelny opór. Czy może dziwić więc to, że przy tak negatywnym i wręcz destrukcyjnym podejściu, przywódcy kościoła przyjmują postawę obronną w stosunku do proroków i ich służby? To również wyjaśnia, dlaczego ci, którzy działają według tak wypaczonego modelu służby proroka, czują się wykluczeni z kościoła. Z kolei z powodu poczucia wykluczenia wielu tego rodzaju proroków tworzy własne wspólnoty działające poza obrębem kościoła. Z bezpiecznych pozycji swoich prorockich wspólnot miotają oskarżeniami w kierunku kościołów. Zachowują się wręcz jak terroryści, chcąc przejąć nad nimi kontrolę w oparciu o strach, który wyzwalają przekazywane przez nich słowa. Wysyłając w stronę kościoła i jego liderów wiadomość, że Bóg jest z nich niezadowolony, wzywają do poprawy przez pokutę lub „podjęcie innych działań". Zdarza się tak, że ci duchowi terroryści zjawiają się w kościele bez zapowiedzi, na przekór liderom, i przekazują swoje przesłanie podczas nabożeństwa, dążąc do osiągnięcia efektu zawstydzenia i destrukcji. Czują się wysłani przez Boga, by działać w Jego imieniu. I czują się usprawiedliwieni w swoich działaniach, bo są przekonani, że misją powierzoną im przez samego Boga jest oparcie się wpływowi „zwiedzionych liderów" i ich „przewrotnemu przywództwu" przez sprawowanie prorockiej kontroli nad kościołem.

DZISIEJSZA POSŁUGA DUCHA ŚWIĘTEGO

Jezus powiedział do swoich uczniów, że lepiej dla nich, by odszedł i powrócił do Ojca. Wiedział, że po swoim odejściu ześle im Ducha Świętego:

Lecz Ja mówię wam prawdę: Lepiej dla was, abym Ja odszedł. Bo jeśli nie odejdę, Opiekun do was nie przyjdzie, natomiast jeśli odejdę – poślę Go do was. A On, gdy przyjdzie, wykaże, że świat jest w błędzie co do grzechu, sprawiedliwości i sądu: co do grzechu, gdyż nie wierzą we Mnie; co do sprawiedliwości, gdyż odchodzę do Ojca i już Mnie nie zobaczycie; a co do sądu, gdyż na władcę tego świata już zapadł wyrok.

Ewangelia św. Jana 16:7-11

Duch Święty otrzymał zadanie tłumaczenia ludziom Bożego słowa. I choć używa ludzi, by współpracowali z Nim w przekazywaniu Jego przesłania, i pomagali zastosować je w ich życiu, to jedynie działanie Ducha Świętego wykazuje nasze błędy i przynosi napomnienie. Jezus powiedział swoim uczniom, że ześle Ducha Świętego, a kiedy Duch Święty przyjdzie, wykaże, że świat jest w błędzie co do grzechu, sprawiedliwości i sądu (J 16:7-11). Duch Święty służy Bożym dzieciom prowadząc, kierując, ucząc, pocieszając i dodając im sił do tego, by żyć i służyć Bogu (J 14:26; 15:26-27; Dz 1:8).

Przez nasze nowe przymierze z Jezusem zostaliśmy usprawiedliwieni. Bóg wylał na Jezusa swój gniew z powodu grzechu, i przez posługę Ducha Świętego dał nam przebaczenie i usprawiedliwienie, i umożliwił bliską relację z Nim samym.

Umacniające działanie Ducha Świętego polega na budowaniu Ciała Chrystusa. Dary Ducha, w tym proroctwo, stanowią narzędzia służby, by wspierać, zachęcać i pocieszać ludzi w ich pracy dla Boga. Ten pozytywny charakter nowotestamentowego proroctwa czyni z niego niezbędny element wyposażenia naszej służby. Paweł zachęcał Kościół w Koryncie do przyjęcia darów i korzystania ze służby proroczej. Zachęcał także do tego, by gorąco pragnęli wszystkich duchowych darów, a najbardziej tego, by prorokować (1Kor 14:1). Dalej mówił, że celem proroctwa jest niesienie zbudowania, zachęty i pociechy (1Kor 14:3). Nie ma tu już miejsca dla „strażnika na murach"! Nie ma już takiej potrzeby. Teraz Duch Święty spełnia tę rolę! Model „strażnika na murach" odszedł wraz ze starym przymierzem. Wraz z nastaniem nowego przymierza został zastąpiony czymś o wiele wspanialszym. Chwała Panu!

> **DUCH ŚWIĘTY SŁUŻY BOŻYM DZIECIOM PROWADZĄC, KIERUJĄC, UCZĄC, POCIESZAJĄC I DODAJĄC IM SIŁ DO TEGO, BY ŻYĆ I SŁUŻYĆ BOGU**

Jeśli Pan nie zbuduje domu,
Budowniczy trudzą się na darmo.
Jeśli Pan nie ustrzeże miasta,
Stróż czuwa niepotrzebnie.

Księga Psalmów 127:1

10

DAR PROROCTWA PRZEMINĄŁ
Wayne Drain

W Nim staliście się bogaci we wszelkie słowo i wszelkie poznanie. Bóg bowiem umocnił w was świadectwo Chrystusa. Przez to nie brakuje wam, oczekującym objawienia się naszego Pana Jezusa Chrystusa, żadnego daru łaski.
1Kor 1:5-7

Wielu ludzi zastanawia się nad tym, czy Bóg wciąż dzisiaj mówi. Jako pastor często słyszę tego typu pytania: Czy Bóg mówi dziś do ludzi? Czy Bóg wciąż uzdrawia? Czy dary Ducha Świętego są wciąż obecne?

Słyszałem kiedyś słowa pewnego znanego pastora: „Każdy, kto wierzy w chrzest w Duchu Świętym, jest zwiedziony i nie rozumie Bożego Słowa!". Mówiąc to, powoływał się na 1 List do Koryntian. Innym razem lider pewnego kościoła głosił: „Mówienie językami i prorokowanie to demoniczne manifestacje!". Za każdym razem, gdy tylko ktoś porusza temat Ducha Świętego lub darów duchowych, uruchamia lawinę pytań i różnorodnych opinii! Powstała niezliczona liczba książek, w których autorzy rozprawiają się z pytaniami na temat Ducha Świętego, popadając z jednej skrajności w drugą. Zadziwia mnie, że to właśnie Duch Święty – Ten, którego Jezus zesłał, by nam towarzyszył, by prowadził nas do poznania całej prawdy i dawał siłę do tego, by być Jego świadkami – jest na ogół rozumiany niewłaściwie. W tym rozdziale pochylimy się nad pewnym nieporozumieniem dość powszechnym w chrześcijaństwie – chodzi o przekonanie, że dary duchowe, w tym proroctwo, są dzisiaj nieaktualne.

Wśród chrześcijan funkcjonują dwa podstawowe poglądy na kwestię darów duchowych. Oba podejścia zgadzają się co do tego, że te nadprzyrodzone dary zostały dane przez Ducha Świętego w Dzień Pięćdziesiątnicy. Jeden nurt podkreśla, że wraz ze śmiercią apostoła Jana zakończył się okres apostolski, kanon Pisma Świętego został zamknięty, i w związku z tym dary duchowe nie są już potrzebne. Tak uważają cesacjoniści. W teologii chrześcijańskiej cesacjonizm to pogląd, według którego nadprzyrodzone dary Ducha Świętego, takie jak dar języków, proroctwa i uzdrowienia, przeminęły, gdyż były praktykowane tylko we wczesnym Kościele. Alternatywny pogląd – kontynuacjonizm – zakłada, że nadprzyrodzone dary Ducha Świętego są dostępne w Kościele od Dnia Pięćdziesiątnicy (Dz 2:1-4,39). Cesacjoniści twierdzą, że dary duchowe nie są dziś do niczego potrzebne, bo Bóg nie czyni już dzisiaj żadnych cudów. Kontynuacjoniści nie zgadzają się z tym podejściem i wierzą, że dary Ducha Świętego są dziś równie istotne jak w czasach pierwszych apostołów. I choć to prawda, że po okresie apostolskim obserwujemy znaczny spadek manifestacji tych darów, to jednak nie wierzę, że stało się tak na skutek Bożej decyzji. Cytując Johna Wesleya, uważam, że stało się tak, ponieważ „miłość wielu, niemal wszystkich tak zwanych chrześcijan, zamarzła na kość… To prawdziwa przyczyna, dla której nadzwyczajne dary Ducha Świętego przestały być obecne w chrześcijańskim Kościele".

Najczęściej używany fragment na poparcie poglądu, że dary duchowe przeminęły, pochodzi z 1 Listu do Koryntian:

Miłość nigdy nie ustaje. Natomiast proroctwa? – Te się wypełnią. Języki? – Te ustaną. Wiedza? – Jej świeżość przeminie. Zresztą nasza wiedza jest i tak wycinkowa, a prorokowanie dotyczy tylko części spraw. Gdy nastanie czas doskonałości, to, co ograniczone, utraci swe znaczenie. Kiedy byłem dzieckiem, mówiłem jak dziecko, myślałem jak dziecko, rozumowałem jak dziecko. Gdy stałem się mężczyzną, zaniechałem dziecięcych spraw. Mówię tak, gdyż teraz widzimy zagadkowe kontury. Nadejdzie jednak czas, gdy zobaczymy twarzą w twarz. Teraz poznaję po części. Przyjdzie jednak czas, kiedy poznam tak, jak zostałem poznany. Teraz trwają: wiara, nadzieja i miłość – te trzy. A z nich największa jest miłość.

1 List św. Pawła do Koryntian 13:8-13

Duża część Kościoła wierzy, że ta „doskonałość" odnosi się do czasów po ustaleniu kanonu ksiąg Nowego Testamentu. Jednak ja nie wierzę, że odnosi się ona do tych czasów, bo cały ten fragment jasno mówi o pewnym momencie w przyszłości, *gdy nastanie czas doskonałości*. Moim zdaniem ta „doskonałość", o której jest tutaj mowa, ma związek z powtórnym przyjściem Jezusa, kiedy będziemy Go oglądać twarzą w twarz. To wyrażenie „oglądać twarzą w twarz" jest kilkakrotnie użyte w Starym Testamencie i choć nie odnosi się do całkowitego poznania Boga (jako że żadne skończone stworzenie nie może tego dokonać), to jednak wskazuje na oglądanie Boga osobiście i realnie. Wielu szanowanych teologów jasno stwierdziło, że słowo „gdy" użyte w wersie 10. wskazuje na powtórne przyjście Jezusa:

„Kluczowe wydaje się być określenie, na jaki czas wskazuje użyte w wersie 10. słowo **gdy**: 'Gdy nastanie czas doskonałości, to,
co ograniczone, utraci swe znaczenie'. Ci, którzy uważają, że
te dary przeminęły, wierzą, że to zdanie odnosi się do czasów
przed powtórnym przyjściem Pana, na przykład gdy kościół
będzie już dojrzały lub gdy kanon Pisma zostanie skompleto-
wany. Jednak znaczenie wersu 12. wskazuje, że w tym zdaniu
chodzi o moment, w którym Pan powróci. I kiedy Paweł mówi:
'gdy zobaczymy twarzą w twarz', to oczywiście ma na myśli,
że wtedy będziemy oglądać Boga twarzą w twarz"[15].

Wayne Grudem

„Cały fragment mocno dowodzi, iż powinniśmy oczekiwać, że
dary duchowe pozostaną aż do końca tego wieku, bo ich bo-
skie przeznaczenie nie zostanie wypełnione aż do momentu,
w którym przyjdzie doskonałość. Pismo nie wskazuje żadnego
powodu czy zdarzenia, które kazałyby nam wierzyć w to, że
dary Ducha przeminęły – każdy z nich"[16].

Donald Gee

Kiedy Paweł mówi: *Nadejdzie jednak czas, gdy zobaczymy twarzą
w twarz*, to jasne, że ma na myśli czas, który dopiero przyjdzie, kiedy
będą oglądać Jego oblicze. Na swoich czołach nosić Jego Imię (Obj
22, 4). Niewątpliwie, to będzie największe błogosławieństwo nieba
i nasza największa radość przez całą wieczność.

Głównym cel tekstu z 1Kor 13:8-13 to pokazanie nam, że miłość przewyższa takie dary jak proroctwo, bo one któregoś dnia

---

[15] Wayne Grudem, *Bible Doctrine*, Zondervan Publishing House, Grand Rapids, Michi-
gan 1999.

[16] Donald Gee, *Concerning Spiritual Gift*, Radiant Books, Gospel Publishing House, Spring-
field, Missouri 1949.

przeminą, a miłość nie przeminie nigdy. Kiedy Paweł w wersie 10. pisał o tym, co „ograniczone", miał na myśli nie tylko proroctwo, ale także pozostałe dary, takie jak „języki" i „wiedza", które kiedyś w końcu przeminą (1Kor 13:8). Opierając się jednak na tym, co Paweł napisał w Rz 11:29, można stwierdzić, że dary te nie zostaną zabrane przed powrotem Chrystusa: *To dlatego, że dary łaski i powołanie ze strony Boga są rzeczą nieodwołalną.* Kolejna prawda, której nie można zaprzeczyć, pochodzi z Hbr 13:8: *Jezus Chrystus wczoraj i dziś – ten sam i na wieki.*

> PROROCTWO TO BÓG, KTÓRY SPRAWIA, ŻE JEGO SŁOWO STAJE SIĘ ŻYWE I PRAWDZIWE W ODNIESIENIU DO KONKRETNEJ SYTUACJI

Tak więc, jeśli zapytalibyście mnie: „A co z proroctwem? Czy proroctwo jest darem na dzisiaj?", bez cienia wątpliwości, odpowiedziałbym głośnym: „Tak! Proroctwo, nie przeminęło, **jest darem** na dzisiaj". Proroctwo to Bóg, który sprawia, że Jego słowo staje się żywe i prawdziwe w odniesieniu do konkretnej sytuacji. Żadne autentyczne proroctwo nigdy nie będzie stało w sprzeczności z Pismem. Jeśli tak się stanie, to znaczy, że mamy do czynienia z „fałszywym proroctwem" i jako takie powinno ono być rozpoznane (1Kor 4:29).

Jedną spośród wielu rzeczy, które zdumiewają mnie w naszym niezwykłym Bogu, jest to, że wkłada On swój skarb w gliniane naczynia. Bóg nie zabiera darów, które nam dał, z powodu naszej niedojrzałości; raczej Duch Święty nieustannie i bezpośrednio poucza wierzących i pomnaża w nich dary łaski, by w ten sposób wyposażyć Boży lud i doprowadzić go do dojrzałości.

Usłyszałem kiedyś słowa pastora Jimmy Evansa: „Proroctwo uwierzytelnia Boga". Całkowicie się z tym zgadzam. Proroctwo **ma** dziś miejsce w Kościele i jest bardzo pomocne. Pozwólcie, że podzielę się z wami zdarzeniem, którego byłem świadkiem. W niedzielny poranek, chwilę przed wygłoszeniem kazania, zauważyłem kobietę, która weszła do sali i usiadła w jednym z ostatnich rzędów. Nie znałem jej, ale gdy spojrzałem na jej twarz, poczułem w duchu, że powinienem jej powiedzieć: „To, co chcesz zrobić, nie jest od Pana. Jezus przyszedł, aby dać życie". Wahałem się, czy powinienem to powiedzieć, zwłaszcza że ta kobieta była gościem w naszym kościele i prawdopodobnie nigdy wcześniej nie zetknęła się z proroctwem. Usiłowałem rozpocząć kazanie, ale to wrażenie potęgowało się z każdą chwilą. Wyjaśniłem więc krótko, czym jest proroctwo, i wypowiedziałem słowo, które otrzymałem.

DOJRZALI WIERZĄCY POWINNI UWAŻNIE BADAĆ SŁOWO PROROCTWA, KTÓRE ZAWSZE POWINNO BYĆ PRZEKAZYWANE WE WŁAŚCIWY SPOSÓB

Kobieta wyglądała na bardzo poruszoną. Wstała z miejsca i ruszyła do przodu. Płacząc, zapytała, czy mogłaby się podzielić swoją historią, a ja poczułem, że powinienem jej na to pozwolić. Tamtego ranka dowiedziała się, że jej mąż zamierza ją zostawić dla innej kobiety. Zrozpaczona, uporządkowała swoje sprawy i wyszła z domu z zamiarem popełnienia samobójstwa. Planowała zjechać samochodem prosto do rzeki Arkansas. Trasa z jej domu nad rzekę prowadziła obok naszego kościoła. Przejeżdżając, poczuła nieodparty impuls, by zjechać na nasz przykościelny parking. Siedząc w samochodzie, krzyczała, że przecież to niemożliwe, że Bóg istnieje. I wtedy usłyszała w swoim sercu: „Wejdź do tego kościoła, pewien człowiek przekaże ci moje słowa". Zapewniła, że stoi w tym miejscu tylko dlatego, że Bóg przemówił do niej przez słowo proroctwa. Dziś ta kobieta cieszy się życiem i służy jako nauczycielka w szkółce niedzielnej w swoim kościele. Gdyby ktoś ją zapytał, czy proroctwo jest darem na dzisiaj, jestem pewien, że powiedziałaby: „Tak..., nie mam co do tego żadnych wątpliwości!".

W ubiegłym roku, w Stanach Zjednoczonych, wielu ludzi poniosło śmierć w wyniku wypadków samochodowych, ale to nie znaczy, że powinniśmy odstawić wszystkie samochody na parking. To znaczy przede wszystkim, że powinniśmy jeździć ostrożniej, czujniej i przestrzegać prawa. Widziałem oburzające przykłady nadużywania proroctwa w celu manipulacji, kontroli i dominacji nad życiem niedojrzałych i łatwowiernych ludzi, zarówno wierzących, jak i niewierzących. Słyszałem o nauczycielach, pastorach i ewangelistach, którzy wykorzystując proroctwo, propagowali błędną naukę i wciągali ludzi do sekty. Ale widziałem też ludzi, dla których przekazane w odpowiednim momencie proroctwo było błogosławieństwem, przynosiło zachętę, umocnienie i pociechę. Nie możemy pozwolić na to, by strach przez nadużyciami powstrzymał nas przed korzystaniem z proroctwa i innych darów Ducha. Powinniśmy czuć się jeszcze bardziej zmotywowani do tego, by rozpoznawać i praktykować autentyczne proroctwo i w ten sposób wyposażać świętych do pełnienia służby (Ef 4:11-13). Dojrzali wierzący powinni uważnie badać słowo proroctwa (1Kor 14:29), które zawsze powinno być przekazywane we właściwy sposób (1Kor 14:40). Najważniejsze jest jednak to, że służba prorocza powinna być dzisiaj praktykowana w kościele.

Fragment z 1Kor 13:10 odnosi się do dnia powtórnego przyjścia Jezusa. Wierzę w to i jestem co do tego głęboko przekonany, że wszystkie dary duchowe wymienione w 1Kor 12:28, w tym proroctwo, będą trwać wśród wierzących aż przyjdzie ten wspaniały dzień, kiedy będziemy Go oglądać twarzą w twarz. W świetle tych słów pouczenie Pawła z 1Kor 14:1 wydaje się być jeszcze bardziej aktualne: *Zabiegajcie o miłość, i gorąco pragnijcie duchowych darów, a najbardziej tego, żeby prorokować.*

11
BOŻY SPOSÓB NA OKAZYWANIE FRUSTRACJI
Tom Lane

P rzez ostatnie 100 lat służba prorocza w Kościele funkcjonowała w oparciu o model zaczerpnięty ze Starego Testamentu
(w dodatku model zniekształcony – *przyp. red.*). Prorok nie
był częścią działającego w Kościele przywództwa i prowadził inny,
bardziej „święty" styl życia. Ludzie postrzegali proroka jako kogoś
powołanego i namaszczonego przez Boga, by Go reprezentował, by
obnażał i przywoływał do porządku zbuntowany lud Boży. I przez
te ostatnie 100 lat przesłanie proroka było przekazywane (zazwy-
czaj) w bardzo emocjonalny sposób, który wskazywał na Boży gniew
i frustrację. Wibrującym i donośnym głosem, wyrażającym ogromną gorliwość, prorok ogłaszał Boże niezadowolenie z grzesznych
postępków Jego ludu – jakiejś osoby lub całej grupy. Jednak, jak
już wcześniej wspominaliśmy w tej książce, ten model służby opie-
rał się o starotestamentowy wzorzec proroctwa[17], który nie ma za

---

[17] Trzeba przy tym pamiętać, że w przesłaniu proroków starotestamentowych także należy
widzieć podobne funkcje daru proroctwa jak te opisywane w 1Kor 14:3, mimo pobrzmiewającej w nich zapowiedzi kary – dawni prorocy również mówili ku **zbudowaniu** Izraela.
Tak rozumianą funkcję proroctwa starotestamentowego widać w słowach Boga skierowa-
nych do Jeremiasza w Jr 1:10 – por. na przykład M. Rosik, *Pierwszy List do Koryntian*, seria:
Nowy komentarz biblijny. Nowy Testament, t. VII, Edycja Świętego Pawła, Częstochowa
2009, s. 445 – *przyp. red.*

wiele wspólnego z modelem opisywanym w Nowym Testamencie. Poniższe fragmenty – jeden ze Starego, drugi z Nowego Testamentu – ilustrują, na czym polega różnica.

✓ **Model Starego Testamentu**

I posyłam do was nieustannie i gorliwie wszystkie moje sługi, proroków, mówiąc: Zawróćcie każdy ze swojej złej drogi i poprawcie swoje uczynki, a nie chodźcie za cudzymi bogami, aby im służyć, a będziecie mieszkać na ziemi, którą dałem wam i waszym ojcom; lecz nie nakłoniliście swojego ucha i nie usłuchaliście mnie.

Księga Jeremiasza 35:15

✓ **Model Nowego Testamentu**

Bóg, który stopniowo i na wiele sposobów objawiał dawniej swoje Słowo ojcom przez proroków, w tych ostatnich dniach przemówił do nas w osobie Syna. Jego ustanowił dziedzicem wszystkiego. Przez Niego również stworzył wszystko, co istnieje w czasie i przestrzeni.

List do Hebrajczyków 1:1-2

W Starym Testamencie Bóg wyznaczał proroków, by byli Jego reprezentantami przed ludem. Powierzone im zostały pewne obowiązki, w ramach których mieli czuwać nad zachowaniem przymierza pomiędzy Bogiem i ludźmi. Ich służba często wiązała się z żarliwym potępianiem grzesznego postępowania Izraelitów i ogłaszaniem rychłego nadejścia Bożej kary. Jednak za ich słowami zawsze stała gorąca miłość Boga do swojego ludu. Stary Testament to historia przymierza, które Bóg zawarł ze swoim ludem. To historia ich porażki w dotrzymywaniu złożonych obietnic i historia Boga, który

pomimo ich krnąbrnego charakteru, wciąż przyciągał ich do siebie,
by mogli dotrzymać zawartego przymierza:

*Gdy Izrael był młody, pokochałem go i z Egiptu powołałem
mojego syna. Im częściej odzywałem się do nich, tym dalej oni
odchodzili ode mnie; składali ofiary Baalom i kadzili bałwanom.
Bo mój lud uporczywie trwa w odstępstwie ode mnie, a chociaż
wzywają Baala, jednak im nie pomaga.*

Księga Ozeasza 11:1-2, 7

Boże niezadowolenie z Jego ludu zawsze wiązało się z niedotrzy-
mywaniem przez nich zawartego z Bogiem przymierza. Bóg oczekiwał, że będą Mu oddani i swoim zachowaniem będą potwierdzać to,
że są Jego wybranym ludem. A kiedy zawodzili, Bóg przez usta i ge-
sty proroków wylewał przed nimi serce pełne zawiedzionej miłości.

Będąc przedstawicielami Boga na ziemi, prorocy mieli do wyko-
nania pewne bardzo konkretne zadania.

✓ Egzekwowanie sprawiedliwości społecznej i wprowadzanie społecznych reform

Prorocy byli aktywnie zaangażowani w nawoływanie ludzi do
przestrzegania zasad sprawiedliwości społecznej i we wprowadzanie przemian społecznych. Innymi słowy, odnosili się do
bardzo konkretnych zachowań Bożego ludu. Amos potępiał
bogatych, którzy prześladowali biednych, piętnował rozwią-
złość seksualną i łapówkarstwo wśród Bożych ludzi (Am 2:6-8;
4:1; 5:11-12; 8:4-6). Ozeasz sprzeciwiał się występkom Bożego
ludu, które za jego czasów były tak bardzo rozpowszechnione,
w tym kłamstwu, morderstwom, kradzieżom i cudzołóstwu
(Oz 4:2). Występował też przeciwko bałwochwalstwu, gdyż
Bóg w szczególny sposób przykazał swojemu ludowi, by nie

miał innych bogów poza Nim (1Mż 20:1). Kiedy pojawiło się wśród nich bałwochwalstwo, Ozeasz stanowczo je potępił (Oz 8:5; 11:2) i wezwał ludzi do pokuty.

✓ **Ogłaszanie nadchodzących konsekwencji grzechów i kary**
Wszyscy prorocy Starego Testamentu przepowiadali przyszłość, ale nie robili tego, by budzić złudne nadzieje czy zaspokoić ciekawość odnośnie do tego, co niesie przyszłość. Ich celem było ogłoszenie Bożej wizji dla Jego ludu. Mieli się upewnić, że ludzie wiedzą, iż grzech pociąga za sobą konsekwencje. Większość proroctw Starego Testamentu była pierwotnie wygłaszana publicznie. Stanowiły one Bożą odpowiedź na występki i nieprawości Jego ludu (Jr 11:2-3; Oz 8:1). To prorocy byli odpowiedzialni za to, by ogłaszać nadchodzące konsekwencje popełnionych w przeszłości grzechów i skutki ciągłego sprzeniewierzania się zawartemu z Bogiem przymierzu. W czasach zniechęcenia i załamania przynosili przesłanie pocieszenia i zachęty, które przypominały o Bożej obietnicy przyszłego wyzwolenia, co miało motywować Boży lud do wytrwania w wierze. Te proroctwa wlewały nadzieję w serca zniechęconych ludzi.

✓ **Zapowiadanie przyjścia Mesjasza i Jego wiecznego Królestwa**
Ludzkość została stworzona do społeczności z Bogiem. Nigdy nie było Bożym zamiarem, byśmy spędzili wieczność oddzieleni od Niego. Jednak kiedy ludzie zaczęli błądzić i odchodzić od Boga, prorocy byli Jego głosem, przez który przywoływał ich z powrotem do siebie:

Nawróćcie się, odstępni synowie – mówi Pan – bo Ja je-
stem waszym Panem, a zabiorę was po jednym z każdego
miasta i po dwóch z każdego rodu, i wprowadzę was na
Syjon

Księga Jeremiasza 3:14

Słowa proroków miały przypominać, że Bóg ma plan, którego oni są ważną częścią – plan pełen Bożej miłości i troski. Miały przypominać, że pośród bolesnych okoliczności
i zniewolenia nadchodzi Odkupiciel. A oni, jako Boży lud, byli
częścią wiecznego Królestwa i jego wiecznej władzy.

Gdy w Starym Testamencie padło ostatnie słowo proroctwa, Niebo milczało przez jakieś 400 lat. Cisza została w końcu
przerwana przez tego, który zapowiedział nadejście Jezusa,
i który zbudował most pomiędzy proroctwami Starego i Nowe
Testamentu. Nazywał się Jan Chrzciciel. W Ewangelii Mateusza czytamy:

Po pewnym czasie wystąpił Jan Chrzciciel. Głosił on
na Pustyni Judzkiej: Opamiętajcie się, gdyż Królestwo
Niebios jest blisko. Właśnie Jana dotyczą słowa proroka
Izajasza: Głos wołającego na pustkowiu: Przygotujcie
drogę Pana, prostujcie Jego ścieżki.

Ewangelia św. Mateusza 3:1-3

W posłudze Jana Chrzciciela dostrzegamy elementy służby prorockiej Starego Testamentu, ale gniewne zapowiedzi nadciągającej
kary Bożej są tu już bardzo wyciszone. Posługa Jana koncentruje
się przede wszystkim na przygotowywaniu drogi dla Pana Jezusa
Chrystusa. Głos jego proroctwa wzywał ludzi do nawrócenia i kierował ich serca i uwagę w stronę nadchodzącego Mesjasza. Kiedy
porównamy posługę Jana do posługi któregokolwiek z proroków

Starego Testamentu, wyraźnie widać, że jest w niej coś innego, coś się zmieniało.

CO SIĘ ZMIENIŁO?

Stare przymierze opierało się na uczynkach ludzi w odniesieniu do Bożych świętych standardów, ale Bóg ustanowił nowe przymierze oparte na sprawiedliwości Jezusa Chrystusa, a nie na sprawiedliwym przestrzeganiu Jego Prawa przez ludzi. W nowym przymierzu Jezus zajął miejsce człowieka, by wypełnić w jego imieniu to wszystko, czemu człowiek sam nie był w stanie podołać. I przez nowe przymierze, ustanowione w Jezusie Chrystusie, sprawiedliwość rozlała się na ludzi dzięki łasce, a nie uczynkom. Boże święte wymagania zostały spełnione przez Jezusa, a dzięki zesłaniu do naszych serc Ducha Świętego, Bóg znów może chodzić z nami w przyjaźni i pozostawać w relacji pełnej miłości.

List do Hebrajczyków doskonale wyjaśnia znaczenie nowego przymierza:

> Teraz natomiast nasz Arcykapłan przyjął o tyle wspanialszą służbę, o ile lepszego przymierza jest pośrednikiem – przymierza opartego na lepszych obietnicach. Gdyby to pierwsze przymierze było bez wad, nie szukano by miejsca na drugie, jak wynika z nagany udzielonej domowi Izraela:

> Oto idą dni, mówi Pan, gdy ustanowię z domem Izraela i z domem Judy nowe przymierze. Nie takie przymierze, jakie zawarłem z ich ojcami w dniu, gdy ich ująłem za rękę, aby ich wyprowadzić z ziemi egipskiej. Nie wytrwali oni w moim przymierzu, dlatego Ja także przestałem się o nich troszczyć, mówi Pan. Takie natomiast przymierze zawrę z domem Izraela po tych dniach, mówi Pan: Moje prawa włożę w ich umysły i wypiszę je na ich sercach, i będę im Bogiem, a oni będą Mi ludem.

Nikt nie będzie uczył swojego rodaka ani swojego brata, mówiąc: Poznaj Pana – ponieważ wszyscy oni znać Mnie będą, od najmniejszego do największego, gdyż będę miłosierny dla ich nieprawości i nie wspomnę więcej ich grzechów.

Gdy Pan mówi: nowe, pierwsze uznaje za przedawnione. To natomiast, co się przedawnia i starzeje, bliskie jest zniszczenia.

List do Hebrajczyków 8:6-13

Gdy Bóg mówi o **nowym** przymierzu, to pierwsze przymierze uznaje za nieważne – ono jest już nieaktualne i przestaje obowiązywać. Według nowego przymierza głos Boga przez Ducha Świętego zamieszkał w sercach wszystkich, którzy przyjęli Jezusa Chrystusa jako swojego Pana. W swoim człowieczeństwie Jezus, jak wszyscy ludzie, był ograniczony przez czas i przestrzeń, dlatego powiedział swoim uczniom, że pożyteczne jest dla nich Jego odejście:

> **BOŻE ŚWIĘTE WYMAGANIA ZOSTAŁY SPEŁNIONE PRZEZ JEZUSA, A DZIĘKI ZESŁANIU DO NASZYCH SERC DUCHA ŚWIĘTEGO, BÓG ZNÓW MOŻE CHODZIĆ Z NAMI W PRZYJAŹNI I POZOSTAWAĆ W RELACJI PEŁNEJ MIŁOŚCI**

Lecz Ja mówię wam prawdę: Lepiej dla was, abym Ja odszedł. Bo jeśli nie odejdę, Opiekun do was nie przyjdzie, natomiast jeśli odejdę – poślę Go do was

Ewangelia św. Jana 16:7

Ojciec zesłał Ducha Świętego, by pod nieobecność Jezusa przebywał z ludźmi, przynosił pomoc i pociechę, by ich prowadził, pouczał i przypominał wszystko, czego Jezus ich nauczył (J 14:26). Obowiązki, które kiedyś należały do proroków – egzekwowanie sprawiedliwości społecznej i wprowadzanie zmian społecznych, ogłaszanie konsekwencji grzechów i nadciągającej kary, zapowiadanie przyjścia Mesjasza i Jego wiecznego Królestwa – zostały teraz wypełnione przez obecność Ducha Świętego w każdym wierzącym.

W nowym przymierzu prorok przestał być strażnikiem czuwającym nad przestrzeganiem przymierza, a zaczął pełnić funkcję impulsu dla jego realizacji w życiu każdego wierzącego. Dziś celem służby prorockiej jest niesienie zachęty, pociechy i zbudowania dla całego Kościoła i dla każdego wierzącego (1Kor 14:3). Nie ma tu miejsca dla strachu przed upokorzeniem czy zawstydzeniem, dlatego my jako wierzący nie musimy się lękać gniewnego palca Boga wyciągniętego w naszą stronę w geście niezadowolenia i frustracji, korygującego nasze błędy i porażki. Nie musimy się już więcej obawiać, co Bóg może powiedzieć lub zrobić, by obnażyć nasze

> **NOWE PRZYMIERZE WPROWADZIŁO POSŁUGĘ PROROCKĄ W NOWY WYMIAR I W EFEKCIE WYPOSAŻA ONA I UZDALNIA KOŚCIÓŁ I JEGO POSZCZEGÓLNYCH CZŁONKÓW DO PEŁNIENIA SŁUŻBY.**

upadki; zamiast tego, możemy z radością oczekiwać pełnego miłości objawienia się naszego Niebieskiego Ojca. A kiedy będziemy tego potrzebować, zamiast surowej nagany wynikającej z rozczarowania i frustracji, otrzymamy Jego łagodne upomnienie. Nowe przymierze wprowadziło posługę prorocką w nowy wymiar i w efekcie wyposaża ona i uzdalnia Kościół i jego poszczególnych członków do pełnienia służby.

Gdy dorastałem, razem z całą rodziną chodziliśmy do kościoła. Dzięki wychowaniu i przykładowi moich rodziców wszyscy byliśmy aktywnie zaangażowani w służbę. Przez to zaangażowanie zdobyłem wiedzę religijną na temat Boga. Opierając się na tradycji liderów mojego kościoła, poznawałem Go w religijny sposób. A opierając się na moich własnych wysiłkach, by być dobrym, czułem się z Nim związany. Jednak ten związek nie był stabilny, nie był bliski. Nie byłem sprawiedliwy i dobrze o tym wiedziałem. Bez względu na to, jak mocno i sumiennie starałem się zadowolić Boga, osiągałem co najwyżej średni wynik. Raz było lepiej, raz gorzej, ale dopiero, kiedy zdałem sobie sprawę z tego, że sam nigdy nie będę wystarczająco dobry, mogłem nawiązać z Nim osobistą relację. Dopiero wtedy zrozumiałem, czego potrzebuję, i poprosiłem Jezusa Chrystusa, by został moim Panem i Zbawicielem. Przeszedłem od posiadania **religijnej wiedzy** na temat Boga do nawiązania z Nim **osobistej relacji!**

Dzisiaj, dzięki tej relacji, mój kontakt z Nim opiera się na miłości i pragnieniu mojego serca, by przebywać blisko Niego – słuchać, wierzyć i być Mu posłusznym każdego dnia. Obecność Ducha Świętego prowadzi mnie i poucza. Dzięki Jego działaniu czuję miłość mojego Ojca Niebieskiego w każdym aspekcie mojej służby i zaangażowania dla Niego. Pokazuje mi też, kiedy moje zachowanie nie do końca odzwierciedla miłość do Niego. Za każdym razem, kiedy moje zachowanie obraża Boga, Duch Święty przekonuje mnie o tym i odczuwam wtedy dystans w relacji z Nim – dystans, który jest efektem grzechu, mojego grzechu. I dzięki nieustannej pracy Ducha Świętego oczekuję tego, co wykracza poza czas, który mam tu do przeżycia. On pomaga mi oczekiwać wieczności i tego wszystkiego, co przyniesie przyszłość, ta wykraczająca poza moje życie na ziemi.

Obecność Ducha Świętego w moim życiu jest możliwa dzięki relacji z Jezusem Chrystusem. On spełnia każde zadanie, które kiedyś było udziałem starotestamentowych proroków. Ich czas przeminął, a ich misję wypełnia teraz ktoś inny, Duch Święty – nasz Pocieszyciel – który pochodzi od Boga i który przebywa z nami i w nas!

CZĘŚĆ 4

Planowanie posługi proroczej

12

PROROCY, PROROCTWO I POSŁUGA PROROCZA
Wayne Drain

Nie zaniedbuj swego daru łaski, który został ci dany na podstawie proroctwa przez włożenie rąk grona starszych.
1Tm 4:14

Jest wiele poglądów na to, kim są prorocy i o co chodzi w proroctwie. Czy proroctwa są prawdziwe? Czy są to dary duchowe, czy jakiegoś rodzaju demoniczny *hokus pokus*? Wielu ludzi, po przeczytaniu różnych książek i obejrzeniu licznych programów telewizyjnych, które ocierały się o ten temat, uważa, że wie o proroctwie sporo (choć nie sądzę, żeby akurat telewizja była najlepszym źródłem wiedzy na temat tak potężnej służby). Niektórzy kojarzą proroctwo z horoskopami, seansami spirytystycznymi i poradami wróżki w nocnej telewizji, ale w tych przypadkach źródło objawienia jest inne.

To przykre, ale większość chrześcijan dzisiaj nie wie czym jest w rzeczywistości biblijny dar proroctwa, ponieważ wiele denominacji naucza, że dary Ducha Świętego przeminęły. A wielu chrześcijan uznaje jedynie proroctwa związane z końcem czasów i powtórnym przyjściem Pana Jezusa. I choć ten temat z pewnością jest interesujący, nie będę się w tym miejscu skupiał na proroctwach dotyczących końca czasów.

Pozwólcie, że powiem wprost... **Mocno** wierzę w to, że są dzisiaj wierzący – zarówno kobiety, jak i mężczyźni – którzy posługują się darem proroctwa lub sprawują urząd proroka. Obserwując korzyści i błogosławieństwa płynące ze służby proroczej w innych zgromadzeniach, coraz więcej kościołów zaczyna otwierać drzwi dla Bożego objawienia. Robią to, do czego zachęcał apostoł Paweł: *gorąco pragnijcie duchowych darów, a najbardziej tego, żeby prorokować* (1Kor 14:1). Jednym ze sposobów wprowadzenia proroctwa w swoim kościele, jest zorganizowanie spotkania z posługą proroczą (którego przebieg opiszemy szczegółowo w kolejnych rozdziałach). Przez ponad 35 lat mojej służby obserwowałem ogromny wzrost zainteresowania służbą proroczą, w miarę jak rosła liczba osób, które doświadczyły jej pozytywnego wpływu.

Fragment z Księgi Joela o wylaniu Ducha „na wszelkie ciało" (Jl 3:1-2) wydaje się być dzisiaj szczególnie aktualny, gdyż Bóg wylewa Swojego Ducha na wszelkie ciało, i wielu „synów" i wiele „córek" prorokuje. Jednocześnie trzeba stwierdzić, że ludzi zajmujących się służbą proroczą cechuje też spora doza ostrożności – i słusznie – spowodowanej obawą przed skrajnościami (zarówno tymi realnymi, jak i domniemanymi). W 1Kor 14:40 apostoł Paweł stawia sprawę jasno – dary Ducha powinny się manifestować w Kościele i powinny funkcjonować w uporządkowany sposób. Biblia jasno mówi o tym, że powinniśmy aktywnie i stale działać w oparciu o dary Ducha, włączając w to dar proroctwa. W 1Kor 14:3 czytamy: *Kto natomiast prorokuje, mówi do ludzi, dla ich zbudowania, zachęty i pociechy.* Jako pastor odpowiedzialny m.in. za służbę proroczą nieraz widziałem, jak słowa z Pierwszego Listu do Koryntian nabierają życia, gdy ludzie, których znam i którym służę, otrzymują siłę, zachętę i pociechę przez przekazane w odpowiednim czasie i w odpowiedni sposób słowo prorocze. Z drugiej strony, byłem też świadkiem wykorzystywania proroctwa w celu manipulacji. Dlatego tak kluczowe jest wypracowanie biblijnego rozumienia tego, kim jest prorok oraz czym są proroctwo i posługa prorocza.

Jak się do tego zabrać? Od czego zacząć? Tak jak w przypadku wszystkich darów duchowych, najpierw musimy zrozumieć biblijne podstawy służby proroczej. W Liście do Efezjan czytamy: *Z Niego czerpie całe ciało. Każda jego część we właściwy sobie sposób łączy się z innymi i wzajemnie zasila, a dzięki temu wszystkie rosną w otoczeniu miłości* (Ef 4:16). Innymi słowy, każdy wierzący jest odpowiedzialny za wypełnianie swojego zadania w lokalnym kościele. Od momentu powstania kościoła w Wieczerniku

BIBLIA JASNO MÓWI O TYM, ŻE POWINNIŚMY AKTYWNIE I STALE DZIAŁAĆ W OPARCIU O DARY DUCHA, WŁĄCZAJĄC W TO DAR PROROCTWA

w Dzień Pięćdziesiątnicy Duch Święty według Swojej woli wylewa duchowe dary. Dzieje Apostolskie pozwalają nam zobaczyć, w jaki sposób pierwotny Kościół przyjmował i uczył się używać dary duchowe dla Bożej chwały. Pokazują też przykłady niewłaściwego obchodzenia się z darami, gdy młodzi i dopiero dojrzewający w wierze chrześcijanie stawiali swoje pierwsze kroki w służbie.

Od początku lat 70-tych, gdy pełniłem posługę pastorską w Arkansas, widziałem w kościele ludzi usługujących w oparciu o różne dary Ducha (w tym proroctwo). Wierzę, że te dary są przewidziane dla dobra wspólnoty wierzących, a nie dla rozrywki, która ma przyciągnąć tłumy. Należy pamiętać o tym, że prorocy i proroctwo stanowiły aktywną część życia Bożego ludu od tysięcy lat. Pismo przedstawia nam sylwetki takich proroków jak Jeremiasz, Izajasz, Ezechiel czy Samuel w Starym Testamencie, oraz Symeon i Anna w Nowym Testamencie. Wielu uważa, że ta potężna służba skończyła się w czasach dwunastu apostołów. Jednak to jasne, że proroctwo i nakładanie rąk przez starszych były praktykowane w pierwotnym Kościele:

Nie zaniedbuj swego daru łaski, który został ci dany na podstawie proroctwa przez włożenie rąk grona starszych.

1 List św. Pawła do Tymoteusza 4:14

Dlatego przypominam ci: Rozpal na nowo dar łaski Bożej, który jest w tobie przez nałożenie moich rąk.

2 List św. Pawła do Tymoteusza 1:6

W Nowym Testamencie znajdujemy kilkanaście sytuacji, w których Duch Święty mówi do proroków, by ukierunkować i poinstruować. Jedna z takich sytuacji ma miejsce, gdy Hagabos prorokuje Pawłowi:

A gdy przebywaliśmy tam przez dłuższy czas, przybył z Judei pewien prorok, imieniem Hagabos. Przyszedł on do nas, wziął pas Pawła, związał sobie nogi i ręce, a następnie oznajmił: To mówi Duch Święty: Mężczyznę, do którego należy ten pas, w ten sposób zwiążą Żydzi w Jerozolimie i wydadzą w ręce pogan.

Dzieje Apostolskie 21:10-11

Paweł pouczał w listach Tymoteusza, swojego duchowego syna, by podążał za proroctwem, które kiedyś otrzymał, bo to pomoże mu toczyć dobrą walkę, trzymać się wiary i zachować czyste sumienie (1Tm 1:18). Tymoteuszowi zostały przekazane dary duchowe, potwierdzone przez słowo prorocze i nałożenie rąk starszych. Pawłowi zależało na tym, by Tymoteusz zrozumiał, że jego powołanie było **powołaniem duchowym**. Biblia jasno i jednoznacznie mówi o tym, że cokolwiek ma swój początek w Duchu, nie może być ukończone siłą naszego ciała. Paweł zdawał sobie sprawę z tego, że służba stanowiła wyzwanie, i chciał, by Tymoteusz wiedział, skąd będzie pochodziła jego pomoc.

David Blomgren pisze w swojej książce:

„Wkrótce po tych początkowych doświadczeniach służba prorocza zaczęła zanikać. Kościół, kiedyś prześladowany, dziś, dzięki legalizacji chrześcijaństwa dokonanej przez Konstantyna w IV wieku, stał się popularny. W rezultacie duchowa moc kościoła osłabła. Dary i posługa Ducha Świętego niemal całkowicie zanikły, a Kościół wkroczył w mroki średniowiecza. Posługa nakładania rąk stała się tylko rytuałem... Jednak od czasów reformacji Bóg przywracał swoje zasady i prawdy, w które wierzono i których doświadczano w pierwotnym Kościele. Na początku dwudziestego wieku zaczęto na nowo odkrywać dary duchowe. Tym samym Bóg zaczął przywracać Kościołowi proroctwo i posługę nakładania rąk przez starszych. To już nie jest tylko pusty rytuał, ale posługa, przez którą Bóg przekazuje swoje dary, wskazówki, napomnienia, kierownictwo i błogosławieństwo”[18].

Otrzymuję wiele pytań dotyczących proroctwa: Czy to działa? Jak to działa? Skąd wiemy, że to jest autentyczne? Ale chyba najbardziej powszechne pytanie brzmi po prostu: Czym **jest** proroctwo? Jest kilka definicji i kluczowych terminów, którymi posługiwałem się przez dość długi czas. Moja ulubiona definicja proroctwa pochodzi od Grahama Perrinsa, walijskiego nauczyciela Biblii, który

---

[18] David Blomgren, *Prophetic Gatherings in the Local Church*, Bible Temple Inc., Portland, Oregon 1979.

pisze: *Proroctwo to żywe słowo od żywego Boga dla żyjących ludzi*[19]. Uwielbiam to proste, a jednocześnie głębokie wyjaśnienie proroctwa. Kolejna definicja, która wydawała mi się przydatna przez szereg lat, pochodzi od Davida Blomgrena: *Proroctwo można określić jako przekazanie wiadomości od Boga, której nie otrzymuje się w naturalny sposób, lecz pochodzi z Bożego objawienia, wliczając w to zarówno przepowiednię, jak i namaszczone słowo*[20].

Rozróżniamy dwa osobne typy proroctwa, które często bywają mylone: **przepowiadanie** i **przekazywanie**. Są proroctwa, w których dominuje przepowiadanie. Ich celem jest przewidywanie przyszłych wydarzeń, tak jak to miało miejsce w przypadku proroctwa Hagabosa (Dz 11:28), dotyczącego nadchodzącego głodu. Są też proroctwa, gdzie bardzo wyraźnie dostrzegamy **przekazywanie** orędzia jako słowa od Pana danego w odpowiednim czasie, by zbudować, zachęcić, pocieszyć lub ostrzec.

W przypadku proroctwa ludzie zwykle zajmują miejsce w jednym z dwóch obozów. Jedni ograniczają proroctwo do tego, co zostało już powiedziane w Biblii. Przekonują, że proroctwo było dane na inny okres w dziejach – zanim kanon Pisma został zamknięty. Drudzy odnoszą biblijne proroctwo jedynie do kwestii związanych z końcem czasów, jak to ma miejsce w przypadku eschatologicznych proroctw z Księgi Daniela, 2 Listu do Tesaloniczan czy z Księgi Objawienia.

Mocno wierzę w to, że wszystkie proroctwa spisane przez ludzi prowadzonych przez Ducha Świętego i pod natchnieniem Ducha Świętego (które w efekcie zostały zebrane w formie Biblii) są prawdziwe (2P 1:19-20). Prawdą jest również, że któregoś dnia Pan powróci po swoją Oblubienicę. Jednak ja chciałbym się skupić

---

[19] Graham Perrins, *Proclaim!*, Published by Springwood Trust, 127 Springwood, Llanedeyrn, Cardiff, Wales 1993.

[20] David Blomgren, *Prophetic...*,

konkretnie na znaczeniu i zasadach proroctwa, które możemy praktykować tu i teraz.

Biblia mówi o czterech oddzielnych obszarach proroctwa. Te cztery obszary nie tylko funkcjonowały, gdy kanon Pisma został zamknięty, ale możemy je praktykować także dzisiaj. W rozdziale drugim opisywaliśmy szczegółowo te obszary, teraz chciałbym, żebyśmy się przyjrzeli temu, jak prorocy, proroctwo i służba prorocza działają w dzisiejszych czasach.

Jednym z najbardziej oczekiwanych wydarzeń w moim kościele każdego roku jest posługa prorocza. Niewątpliwie jest to najbardziej inspirujące wydarzenie, jakie mój kościół organizuje dla swoich członków. Nasze spotkanie przyciąga też wielu ludzi z okolicznych kościołów, a także tych, którzy nie należą do żadnej wspólnoty. Generuje to zwykle bardzo zróżnicowany wiekowo i denominacyjnie tłum ludzi. Nigdy nie organizujemy wielkiej kampanii informacyjnej. Przede wszystkim modlimy się, dajemy znać całej wspólnocie, a nasi członkowie zapraszają, kogo tylko mogą. Już dawno zrozumiałem, że ludzie nie szukają kolejnej doskonałej prezentacji multimedialnej czy fajerwerków zza kazalnicy; oni zwyczajnie chcą usłyszeć słowo od Boga.

POSŁUGA PROROCZA TO SPECJALNE SPOTKANIE ZORGANIZOWANE POD KĄTEM UWIELBIENIA, MODLITWY I SŁUŻBY PROROCZEJ

Na pewno zastanawiacie się teraz: Czym właściwie **jest** posługa prorocza? Posługa prorocza to specjalne spotkanie zorganizowane pod kątem uwielbienia, modlitwy i służby proroczej. Zwykle trwa dwa lub trzy dni, podczas których zespół proroczy usługuje osobom, które zamierzają się zaangażować w jakieś konkretne służby w lokalnym kościele lub w innej wspólnocie wierzących. Zwykle zapraszamy do naszego kościoła trzech doświadczonych pastorów lub liderów, którzy mają namaszczenie i obdarowanie prorocze, z posługą proroczą i udzielania namaszczenia.

Oto kilka pojęć, którymi się posługujemy, a które mogą pomóc zrozumieć nieco lepiej, czym jest posługa prorocza.

✓ **Prezbiter**

Starszy czy też dojrzały pastor, który pełni jedną lub więcej spośród wymienionych służb: apostoł, prorok, ewangelista, duszpasterz, nauczyciel (Ef 4:11-13).

✓ **Grono przezbiterów**

Dwoje lub więcej prezbiterów, którzy działają jako zespół, by wygłaszać słowa prorocze i przekazywać je przez nałożenie rąk na wyznaczonych przez lokalny kościół kandydatów do podjęcia służby we wspólnocie.

✓ **Kandydat**

Osoba, w której starsi dostrzegli potencjał do pełnienia roli lidera w jakimś obszarze w lokalnym kościele.

Wyznaczając kandydatów, przede wszystkim bierzemy pod uwagę dwie rzeczy:

1. Kandydat powinien prezentować moralność i cechy charakteru właściwe diakonowi czy biskupowi, opisane przez Pawła w 1 Tm 3 – powinien być wierny Bogu, rodzinie i Kościołowi. Zwykle kandydaci służą już jako liderzy pod duchowym kierownictwem starszych ze swojej wspólnoty.

2. Wyczucie czasu – warto zwrócić uwagę na to, czy to odpowiedni moment w życiu danej osoby. Na przykład, jeśli potencjalny kandydat właśnie przygotowuje się do dłuższego

wyjazdu na stypendium czy do służby wojskowej, to może nie jest to najlepszy czas na udział w takim wydarzeniu.

Rozróżniamy też dwa rodzaje słów proroczych, które mogą być przekazywane podczas posługi proroczej:

✓ Słowo wyznaczające kierunek

To słowo, które ma pomóc kandydatowi zobaczyć, co dalej. Takie słowa znajdujemy w różnych miejscach Starego Testamentu. W 1Sm 10:8 Samuel mówi do Saula, żeby *poszedł do Gilgal i zaczekał*. W 2Krl 8:1 Elizeusz powiedział do wdowy, by *odeszła z tego miejsca, bo nadchodzi głód*. Przytaczaliśmy już wielokrotnie nowotestamentowy przykład z Dz 21:10-11, gdy Hagabos przekazywał słowo Pawłowi.

Pamiętam jedno z pierwszych doświadczeń, kiedy sam otrzymałem takie słowo wyznaczające kierunek w moim życiu – przekazały mi je w ciągu trzech tygodni, w trzech różnych miejscach, trzy różne osoby pochodzące z trzech różnych krajów. Słowo prorocze dotyczyło tego, że Bóg wzywa mnie do prowadzenia kościoła i służenia darem proroczym dla narodów. O ile byłem w stanie wyobrazić sobie podjęcie się jednego z tych zadań, o tyle odkrycie tego, jak robić obie te rzeczy równocześnie, zajęło mi trochę czasu. Wszyscy mówili mi, że powinienem się na coś zdecydować: albo być wędrownym duszpasterzem, który należy do jakiejś jednej wspólnoty wierzących, jednocześnie ciągle podróżuje i usługuje w różnych miejscach, albo prowadzić lokalny kościół. Otóż z radością informuję, że przez ostatnie 38 lat prowadziłem jeden i ten sam kościół, podróżując w tym samym czasie z posługą do 33 krajów!

To słowo nadające kierunek mojej służbie, otrzymane tyle lat temu, pomogło mi stawić czoło wątpliwościom wszystkich naprawdę życzliwych mi ludzi, w momentach, kiedy sam zmagałem się z własną niepewnością. Odwagi dodawały mi słowa, które Paweł skierował do Tymoteusza, swojego duchowego syna, by ten, podążając za otrzymanym proroctwem, *staczał, zgodnie z nim, dobry bój. Zachowywał wiarę i dobre sumienie* (1Tm 1:18-19).

✓ Słowo na dany czas

Drugi rodzaj słowa przekazywanego podczas posługi proroczej to słowo na dany czas. W Księdze Przypowieści Salomona czytamy: *Raduje to człowieka, gdy umie dać odpowiedź; jakże dobre jest słowo we właściwym czasie!* (Prz 15:23). Słowo na dany czas może być słowem zachęty w okresie, kiedy ktoś jest zniechęcony. Może zawierać zdanie lub słowo, których znaczenie jest jasne tylko dla odbiorcy i dla Pana. Te słowa nie tylko zachęcają, ale też pobudzają wiarę tego, kto je otrzymał.

To wspaniałe, że Bóg mówi o nas innym ludziom! Kiedy służyłem w kościele w Orlando na Florydzie, otrzymałem słowo na dany czas dla kobiety, która modliła się o to, by Duch Święty do niej przemówił. Później dowiedziałem się, że modliła się dokładnie w ten sposób: „Panie, proszę Cię o słowo prorocze od tego mężczyzny o śmiesznym nazwisku (à propos czy **naprawdę** Wayne Drain brzmi zabawnie?!), że dobrze sobie radzę". Pierwsze słowa, które wyszły z moich ust, brzmiały: „Mam poczucie, że Pan chce ci powiedzieć, że dobrze sobie radzisz – w zasadzie dużo lepiej, niż myślisz!". I choć nie było to jakieś głębokie słowo, to ponieważ padło w tak właściwym dla tej kobiety momencie, okazało się dla niej niezwykle zachęcające. To takie ekscytujące, gdy zdajesz sobie sprawę, że Bóg naprawdę słyszy nasze modlitwy i przemawia do nas jako dobry Ojciec.

Oto list, który niedawno dostałem, a który dotyczy słowa, jakim dzieliłem się podczas posługi proroczej w Teksasie:

Drogi Wayne,

zanim w 1994 roku zostałem wędrownym ewangelistą, przez 13 lat pracowałem jako pastor w Fort Worth w Texasie. Przez ostatnie 5 lat ja i moja żona służyliśmy głównie w Australii i na wyspach Pacyfiku.

Oto co powiedziałeś do mnie 21 sierpnia 2010 roku:
Czasem to słuszne wziąć odpowiedzialność za coś, co nie było twoją winą. To test na przywództwo. Pan wykorzystuje tę sytuację, by sprawdzić cię w roli lidera. Przechodzisz ten test pomyślnie. Wybierasz właściwą drogę. To droga zgodna z tym, jak postępuje Jezus. Wrzesień przyniesie dużą zmianę. Październik przyniesie jasność. Do Święta Dziękczynienia nastąpi przełom! Będziesz mógł spokojnie zostawić rok 2010 za sobą i wkroczyć z nadzieją w 2011.

Przez dłuższy czas byłem zaangażowany w sytuację, w której usiłowałem pogodzić dwoje skłóconych w służbie przyjaciół. Obydwoje uczestniczyli tamtego wieczoru w posłudze proroczej i to właśnie oni zaczęli ze sobą rozmawiać – po raz pierwszy od ponad roku! Dziś są już pojednani. We wrześniu udaliśmy się do Australii, gdzie rozpoczęliśmy naszą trzymiesięczną podróż duszpasterską. Podczas wrześniowych spotkań doświadczyliśmy takiego pragnienia i oczekiwania ze strony ludzi, z jakimi nie mieliśmy do czynienie w ciągu całych pięciu lat naszej pracy w Australii.

W październiku, w miarę jak kontynuowaliśmy naszą podróż, Pan coraz wyraźniej objawiał mi naszą rolę w Ciele Chrystusa. Służyliśmy w dużym kościele baptystycznym niedaleko Brisbane i ponad 500 osób odpowiedziało na wezwanie, by otworzyć się na pełnię Ducha Świętego. To było niesamowite!

W listopadzie wróciliśmy do domu, by służyć przez jakiś czas w Teksasie. Przez lata modliłem się o to, by w życiu duchowym mojej żony dokonał się przełom i by mogła w wolności cieszyć się darami duchowymi, które otrzymała od Boga. W niedzielę poprzedzającą Święto Dziękczynienia po raz pierwszy głosiła kazanie! Przez 37 lat naszej wspólnej służby wiele razy dzieliła się swoim świadectwem, prorokowała, ale tego dnia po raz pierwszy naprawdę głosiła Słowo… i namaszczenie Ducha Świętego spoczywało na niej!

W tym samym tygodniu zaczęły napływać zaproszenia na nadchodzący rok. Nasz kalendarz już pęka w szwach. Pierwszy raz od wielu lat naprawdę jestem w stanie zostawić cały ten rok za sobą i cieszyć się Bożym Narodzeniem, bo wiem, że nadchodzący rok jest wypełniony po brzegi Bożym działaniem. Dziękuję ci, Wayne, za to, że słuchasz i dzielisz się tym, co usłyszysz.

Larry z Fort Worth

Chociaż wierzę, że każdy może prorokować, kiedy obecne jest prorocze namaszczenie (1Kor 14:31), to nauczyłem się, że **różni ludzie mogą być w różnym stopniu obdarowani**. W moim kościele stosujemy tę zasadę podczas spotkań w grupach domowych, grupach dla dorosłych i dla młodzieży, spotkań dla nowych członków, a także podczas niedzielnego nabożeństwa. Odkryliśmy, że tak jak podczas spotkania Filipa z etiopskim eunuchem, o którym to spotkaniu czytamy w Dz 8:26-40, wejrzenie prorocze jest nam coraz bardziej pomocne w prowadzeniu ewangelizacji i działań misyjnych. Wydaje się, że w tej strategicznej dla głoszenia ewangelii godzinie, prorocy i ewangeliści coraz częściej działają ramię w ramię. Słyszymy i oglądamy wiarygodne świadectwa ludzi działających w oparciu o dary Ducha Świętego, takie jak słowo wiedzy, dar uzdrowienia, proroctwa czy wiary. A to z kolei, rozpala w wierzących świeżą pasję do dzielenia się Dobrą Nowiną o Królestwie Bożym. Na całym świecie widać niezwykłe efekty tego działania. Naprawdę żyjemy w ekscytujących czasach!

Paweł napisał w 1Kor 14:5, że ci, którzy prorokują – budują i umacniają Kościół. I to jest pierwszy i podstawowy cel proroków, proroctwa i posługi proroczej – budować i umacniać Kościół. Tak wielu ludzi i tak wiele rzeczy wokół próbuje nas dziś ściągnąć w dół. Dlatego proroctwo jest tak istotne.

Jestem głęboko przekonany, że służba prorocza jest jednym z najbardziej użytecznych i zachęcających działań, jakie możemy zaproponować naszej wspólnocie. Gdy nasz zespół pastorski rozmawia z kandydatami i modli się z nimi o słowa prorocze, które otrzymali, zawsze zadziwia nas głębia i trwały wpływ, jaki wywiera na nich ta ważna służba.

W moim kościele zwracamy też bacznie uwagę na to, by nie zaniedbać darów przekazanych przez grono starszych przez nałożenie rąk, czemu towarzyszy modlitwa o przekazanie darów i odpowiednie słowa prorocze. Zapamiętujemy wypowiedziane słowa i rozmawiamy o nich. Zachęcamy się wzajemnie, by używać darów, które otrzymaliśmy. Dzięki temu wszystkiemu nauczyłem się, jak niesamowite rzeczy można osiągnąć dla Królestwa Bożego, kiedy Jego ludzie doznają zachęty, umocnienia i pociechy.

13

JAK ZORGANIZOWAĆ POSŁUGĘ PROROCZĄ

Tom Lane

N a początku tego rozdziału chciałbym wam zadać kilka pytań: Jakie miejsce zajmuje służba prorocza w waszym kościele? Jeśli jesteś pastorem, to czy chcesz, by Duch Święty działał w twoim kościele? A w twoim życiu?

Służba prorocza zawsze powinna mieć swoje źródło w pragnieniu, by działanie Ducha Świętego objawiło się w naszym życiu, a dopiero później w życiu kościoła. Służba prorocza w kościele powinna być odbiciem naszego codziennego życia w Duchu. Czy twój kościół jest otwarty na działanie Ducha Świętego? Czy zachęcasz ludzi do tego, by gorliwie szukali Boga, przyjmując Ducha Świętego i wszelkie przejawy Jego działania? Najpierw jednak musisz się otworzyć na te wszystkie rzeczy w swoim życiu.

Nauczanie o Duchu Świętym jest kluczowe dla duchowego rozwoju wspólnoty. A tworzenie atmosfery dla działania Ducha Świętego w życiu ludzi jest podstawowym elementem duszpasterskiego przywództwa. Jeśli masz za sobą złe doświadczenia związane ze służbą proroczą, to bardzo mi przykro z tego powodu. Jednakże czy jesteś w stanie wybaczyć tym, którzy cię skrzywdzili i uznać, że to, czego doświadczyłeś, nie było Bożym planem, ale niedoskonałą (i mam nadzieję szczerą) próbą reprezentowania Boga przez człowieka?

Ucząc ludzi o Duchu Świętym, pomagamy im żyć w Duchu. Zachęcamy naszych liderów, by oczekiwali, pragnęli i poszukiwali Ducha Świętego, który jest aktywnie zaangażowany w nasze chrześcijańskie życie. Nie boimy się, że nauczanie i otwieranie się na Ducha Świętego doprowadzi do dziwnych, przesadzonych sytuacji, bo uważnie czuwamy nad tym, by nie dochodziło do nadużyć. Jeśli pojawia się coś dziwnego czy ekscentrycznego, jesteśmy przygotowani, by zareagować w oparciu o Bożą mądrość i autorytet.

Chociaż chcemy doświadczać manifestującej się obecności Boga na wszystkich naszych nabożeństwach i we wszystkich obszarach służb, to nie kładziemy specjalnego nacisku na manifestowanie się darów Ducha podczas wspólnych niedzielnych spotkań. Niedzielne nabożeństwa to czas przeznaczony na uwielbienie, Słowo i posługę skierowaną do osób, które się do nas zgłaszają. Jednakże grupa liderów usługująca ludziom modlitwą po nabożeństwie ma całkowitą swobodę używania darów Ducha Świętego. Uczymy też i zachęcamy liderów grup domowych do tego, by podczas spotkań byli otwarci na działanie Ducha Świętego i by pozwalali manifestować się darom Ducha, oczywiście we właściwy sposób.

> **SŁUŻBA PROROCZA ZAWSZE POWINNA MIEĆ SWOJE ŹRÓDŁO W PRAGNIENIU, BY DZIAŁANIE DUCHA ŚWIĘTEGO OBJAWIŁO SIĘ W NASZYM ŻYCIU, A DOPIERO PÓŹNIEJ W ŻYCIU KOŚCIOŁA**

Raz do roku organizujemy w naszym kościele posługę proroczą, podczas której zespół składający się z osób obdarzonych tym darem służy i przekazuje słowo od Boga wybranym z naszej wspólnoty liderom. Spotkanie zaczyna się w niedzielę wieczorem i jest kontynuowane w poniedziałek rano i wieczorem, oraz we wtorek przed południem. W każdej sesji uczestniczy trzech lub czterech kandydatów, co oznacza, że w sumie w posłudze bierze udział maksymalnie 16 osób, włączając w to pojedynczych kandydatów oraz małżeństwa.

STRUKTURA SPOTKANIA

Spotkanie, podczas którego ma miejsce posługa prorocza, składa się z kilku elementów, w tym z uwielbienia, krótkiego nauczania na temat Ducha Świętego, proroctwa i posługi proroczej, po którym zespół prorocki usługuje kandydatom. Na koniec słowa prorocze są też kierowane do poszczególnych członków wspólnoty obecnych na spotkaniu. Posługa zespołu nad każdym z kandydatów trwa około 15 minut (w sumie ta część spotkania zajmuje ok. 45-60 minut). Każda sesja trwa około 90 minut, staramy się więc trzymać orientacyjnego grafiku:

- ✓ Uwielbienie – 15 minut
- ✓ Nauczanie na temat proroctwa – 10 minut
- ✓ Służba prorocza dla kandydatów – 45-60 minut
- ✓ Słowa prorocze dla członków wspólnoty – 15 minut

Oczywiście opisana struktura to tylko przykładowy schemat, który może być dowolnie modyfikowany przez pastora czuwającego nad przebiegiem całego spotkania, a on sam powinien być wrażliwy na to, w którą stronę Pan prowadzi to spotkanie. Ostatnia rzecz, jaką chcielibyśmy zrobić, to ograniczyć i utrudnić obecność i działanie Ducha Świętego!

KANDYDACI DO UDZIAŁU W POSŁUDZE PROROCZEJ

Spotkania, podczas których ma miejsce posługa prorocza, odbywają się w naszym kościele od samego początku jego istnienia. Na początku identyfikacja i wybór kandydatów nie stanowiły żadnego problemu; jednak w miarę jak kościół i grupa przywódców zaczęły się powiększać, wypracowaliśmy system, w oparciu o który każdego roku wybieramy spośród liderów kandydatów do udziału w posłudze proroczej. Po określeniu dokładnej liczby kandydatów na dany rok prosimy starszych, pastorów i kluczowych liderów służb o rekomendacje konkretnych osób, które ich zdaniem mają potencjał do bycia liderem, a także liderów, którzy są w okresie próbnym, liderów, którzy nigdy nie uczestniczyli w posłudze proroczej, i osób, które stosunkowo niedawno rozpoczęły swoją służbę we wspólnocie. Staramy się, by grupa była zróżnicowana i składała się zarówno z osób duchownych, jak i ze świeckich liderów. Dobieramy kandydatów według następujących kategorii:

✓ przełożeni – zespół pastorów i starszych

✓ koordynatorzy służb – diakoni i liderzy koordynujący poszczególne służby

✓ różne obszary służby – obecni i rozpoczynający liderzy z każdego obszaru służby

Zdajemy sobie sprawę, że mamy w naszej wspólnocie dużą grupę liderów, którzy nie zawarli jeszcze związków małżeńskich i staramy się ich wyłowić w każdej z wymienionych kategorii. Jeśli kandydat jest w związku małżeńskim, dokładamy starań, by także współmałżonek wziął udział w posłudze proroczej, nawet jeśli nie jest aktywnie zaangażowany w służbę. Traktujemy małżeństwo jako zespół, więc nawet jeśli jedna osoba nie jest zaangażowana w służbę, to musi wspierać i przez to stawać się częścią służby współmałżonka. Drugi powód wiąże się z tym, że sprawy objawiane podczas posługi proroczej często niosą ze sobą konsekwencje dla wspólnego życia małżonków i ich służby.

SŁOWA DLA KANDYDATÓW

Podczas spotkania kandydaci zajmują miejsca na samym przedzie sali, by reszta wspólnoty mogła ich widzieć i by zespół proroczy miał do nich swobodny dostęp. Gdy dany kandydat lub para siedzą na swoich miejscach, prosimy wszystkich obecnych, by razem z nami modlili się o nich i o Boże słowo dla nich. Po krótkiej modlitwie zespół proroczy zaczyna usługiwać i przekazywać kandydatom słowa prorocze. Po zakończeniu każdej sesji zapraszamy kandydatów i zespół proroczy na wspólny posiłek, by mogli porozmawiać o słowach, które padły. Taka rozmowa „na gorąco" to doskonała okazja na wymianę informacji i spostrzeżeń. Zwykle kandydaci

POSŁUGA PROROCZA JEST EKSCYTUJĄCYM CZASEM DUCHOWEGO OBJAWIENIA

nie są w stanie przyjąć naraz wszystkiego, co zostało do nich powiedziane. A wspólny posiłek daje szansę na zrobienie szybkiego podsumowania; możliwość pochylenia się nad tym, co się właśnie wydarzyło, stanowi potężny zastrzyk zachęty zarówno dla kandydatów, jak i dla usługujących.

ANALIZA OTRZYMANEGO SŁOWA

Zawsze nagrywamy słowa przekazywane kandydatom podczas posługi proroczej. Te nagrania są później przepisywane i jeden z członków naszego zespołu przywódczego pochyla się nad nimi razem z kandydatem. Nigdy nie traktujemy słów proroczych w kategoriach bezpośredniego nakazu; patrzymy na nie raczej jako na słowa potwierdzenia przekazywane w celu zbudowania, zachęty i pocieszenia. Proces ich analizowania (który następuje po spisaniu słów z nagrania – zwykle w przeciągu miesiąca od spotkania) pomaga rozpoznać, jak zastosować dane słowa, i służy ich potwierdzeniu.

ZESPÓŁ PEŁNIĄCY POSŁUGĘ PROROCZĄ

Przełożeni naszego kościoła wybierają liderów, którzy mają prorocze obdarowanie i którzy podchodzą do służby proroczej z podobnym sercem jak my. Naszym podstawowym kryterium przy wyborze osób do zespołu proroczego jest nowotestamentowe podejście do służby proroczej. I choć poszczególne osoby nie muszą pełnić funkcji pastora, to koniecznie muszą być oddanymi i poddanymi członkami wspólnoty kościoła i mieć serce do tego, by przekazywać Boże pragnienie służby każdemu z kandydatów.

Gdy kandydaci zostaną już wybrani, członkowie zespołu pełniącego posługę proroczą dostają listę z ich nazwiskami, by mogli się o nich modlić jeszcze przed spotkaniem. Lista zawiera tylko nazwiska; nie ma tam żadnych informacji, które mogłyby w jakikolwiek sposób wskazywać na pozycje danej osoby czy rodzaj pełnionej służby. Przekazujemy tę listę, by przez modlitwę Duch Święty rozpoczął proces objawiania im słów przeznaczonych dla kandydatów.

Czasami zdarza się, że ktoś z zespołu proroczego zna kandydata. W takich sytuacjach przyznaje, że zna daną osobę, ale zrobi wszystko, co w jego mocy, by to, czym będzie się z nią dzielił, nie było w żaden sposób obciążone informacjami, jakie na jej temat posiada. Naszym celem, tak samo jak i celem całego zespołu proroczego, który gościmy podczas tego szczególnego czasu posługi proroczej, jest widzieć ludzi tak, jak widzi ich Bóg. W głębi serca wiemy, że Bóg zna nas lepiej i widzi w nas więcej darów, niż sami jesteśmy w stanie dostrzec. I właśnie dlatego posługa prorocza jest tak ekscytującym czasem duchowego objawienia .

Wtedy upadłem do jego stóp, by mu się pokłonić. Lecz on mnie powstrzymał: Nie rób tego! – powiedział. – Jestem współsługą twoim oraz twoich braci, którzy mają świadectwo Jezusa. Pokłon oddaj Bogu! A tym świadectwem Jezusa jest duch proroctwa

Objawienie św. Jana 19:10

14

PROROCTWO I MUZYKA

Wayne Drain

Teraz jednak sprowadźcie mi lutnistę. Gdy zaś lutnista zagrał,
spoczęła na nim moc Pana.
2Krl 3:15

Elizeusz znalazł się w bardzo trudnej sytuacji. Izrael stał u progu wojny. Joram, nowy król Izraela, razem z królem Edomu i z Jehoszafatem, królem judzkim, właśnie wyruszali na wojnę przeciwko Meszy, królowi Moabu. Kiedy nie mogli dojść do porozumienia, którą drogą należy przeprowadzić atak, Jehoszafat zaproponował, by zawołali Elizeusza i zapytali, czy ma dla nich słowo od Pana na ten krytyczny czas. Kiedy znaleźli proroka, ten nie omieszkał wyrazić swojej dezaprobaty dla grzesznego sposobu życia króla Izraela. Jednakże ze względu na Jehoszafata, którego Elizeusz szanował, obiecał, że będzie szukał słowa od Pana. To, o co poprosił, powinno stanowić dla nas pewną wskazówkę:

Elizeusz zaś odpowiedział: Jako żyje Pan Zastępów, przed
którego obliczem stoję, że gdyby nie wzgląd na Jehoszafata,
króla judzkiego, nie zważałbym na ciebie ani bym na ciebie nie

spojrzał. Teraz jednak sprowadźcie mi lutnistę. **Gdy zaś lutnista zagrał, spoczęła na nim moc Pana.** *Potem rzekł: Tak mówi Pan: Wykopcie w tej dolinie rów przy rowie.*

2 Księga Królewska 3:14-16; wyróżnienie dodane

Elizeusz rozumiał, że istnieje związek między muzyką a uwolnieniem proroctwa. I „gdy lutnista zagrał", Elizeusz wypowiadał słowa prorocze od Pana. Pierwszy raz doświadczyłem działania tej reguły już wiele lat temu. Od tego czasu wielokrotnie byłem świadkiem, jak namaszczona muzyka pomaga uwolnić proroctwo.

Wielu ludzi wierzy, że Bóg mówi dziś do nas tylko przez słowa Biblii. Ale Job mówił: *Wszak Bóg przemawia raz i drugi, lecz na to się nie zważa* (Job 33:14). Problem nie polega na tym, że Bóg nie mówi.

NAMASZCZONA MUZYKA POMAGA UWOLNIĆ PROROCTWO

Problem tkwi w wierzących, którzy nauczyli się tego, że Bóg mówi tylko w jeden sposób – przez Biblię. I choć Biblia jest podstawowym kanałem komunikacji Boga z nami, to wierzę, że Bóg mówi do nas na wiele różnych sposobów. Jednym z nich jest właśnie muzyka.

„Bóg mówi przez muzykę"[21]. Te słowa, pochodzące z jednej z moich ulubionych piosenek, celnie określają związek, jaki zachodzi między proroctwem a muzyką. Gdy byłem jeszcze młodym chrześcijańskim muzykiem i świeżo upieczonym pastorem, zacząłem odkrywać, że wielu przywódców ze Starego Testamentu było muzykami, albo aktywnie z nimi współpracowało. Nie rozumiałem wtedy, w jaki sposób muzyka i proroctwo mogą współdziałać, ale byłem mocno zdeterminowany, by się tego dowiedzieć. Dziś, gdy o tym nauczam, pastorzy i muzycy często zadają mi pytanie: „Ja także dostrzegam w Piśmie związek między muzyką i proroctwem, ale jak to działa w praktyce?".

---

[21] Kevin Prosch, *God is Speaking Trough The Music*, Jill Prosch, Vineyard Music USA, 1993.

Ciągle zmagamy się z wyzwaniami, jakie stawia przed nami brak wiary, bo wciąż wielu ludzi wątpi, czy Bóg rzeczywiście mówi dziś przez proroctwo. Właśnie dlatego powinniśmy zawsze mieć w pamięci słowa Pisma, jak choćby te z 5Mż 8:3, które przypominają nam, że *człowiek nie samym chlebem żyje, lecz że człowiek żyć będzie wszystkim, co wychodzi z ust Pana*, albo słowa Jezusa z J 10:27: *Moje owce słuchają mojego głosu, Ja je znam, a one idą za Mną*. Po pierwsze, musimy zrozumieć, że Bóg wciąż dzisiaj mówi. I to nie tylko przez słowo prorocze, ale też przez namaszczoną muzykę.

Słowo „proroctwo" pochodzi od słów, które mogą oznaczać: „płynąć razem; kipieć lub tryskać żywą, proroczą cząstką, która wypływa z jednego ducha". Proroctwo ma czasem przepowiadający charakter – **zapowiada** to, co wydarzy się w przyszłości. Częściej jednak wiąże się z **przekazywaniem słowa na teraz** – ogłaszaniem „tu i teraz" przesłania płynącego prosto z Bożego serca i odnoszącego się wprost do konkretnej osoby czy sytuacji. Podoba mi się to, co Graham Perrins ma do powiedzenia na temat związku pomiędzy muzyką i proroctwem: „Gdy uwielbienie i muzyka łączą się, wyrażając to, co Bóg mówi i robi obecnie w naszym życiu, tam pojawia się proroctwo. Jest ono aktualne i odpowiednie"[22].

Muzyka kościelna jest zwykle nazywana muzyką chwały lub uwielbienia, jednak możemy chwalić i uwielbiać Boga wykorzystując do tego wszystkie rodzaje muzyki i we wszystkich możliwych okolicznościach – używając słów lub milcząc, śpiewając przy akompaniamencie instrumentów lub *a capella*. (Równie dobrze można przecież oddawać Bogu chwałę, służąc komuś w miejscowym supermarkecie!). Słowo „chwała" pochodzi od biblijnych słów oznaczających śpiewanie **o Bogu**. Miriam, siostra Mojżesza, śpiewała pieśń

---

[22] Graham Perrins, *Proclaim!*, Springwood Trust, 127 Springwood, Llanedeyrn, Cardiff, Wales, 1993.

chwały, gdy Bóg otworzył Morze Czerwone: *Śpiewajcie Panu, gdyż nader wspaniałym się okazał: Konia i jego jeźdźca wrzucił w morze!* (2Mż 15:21). A słowo „uwielbienie" pochodzi od słów, które mogą oznaczać: zwrócić się do kogoś, całować, uniżyć się; czcić i uzdrawiać. Uwielbienie ma miejsce wówczas, gdy śpiewając i oddając chwałę, zwracamy się bezpośrednio **do Boga**. Słowa jednej z dobrze znanych piosenek, zainspirowanych psalmem Dawida, stanowią dobry przykład uwielbienia: „Ja kocham Cię, Panie, wznoszę głos. Uwielbiać Cię z całej duszy chcę"[23]. Często powtarzam, że uwielbienie prorocze ma miejsce wtedy, kiedy uwielbienie i słowo Boże się całują.

Ważne, byśmy zrozumieli, że związek między chwałą, uwielbieniem, muzyką i proroctwem przewija się przez całą Biblię. Pozwólcie, że przywołam kilka przykładów:

✓ Cały zespół proroków i muzyków Samuela współpracuje, by przekazać Boże proroctwo za pomocą słów, gestów i pieśni. Grają na instrumentach, tańczą i prorokują, przemieszczając się z miejsca na miejsce (1Sm 10).

✓ Prorok Elizeusz kazał przywołać muzyka, a gdy on grał, Elizeusz prorokował (2Krl 3:14-16).

✓ Dawid dobrze rozumiał to połączenie muzyki, chwały i proroctwa: *Następnie Dawid i dowódcy wojska wyodrębnili synów Asafa, Hemana i Jedutuna, ludzi natchnionych, do służby przez grę na lutniach, cytrach i cymbałach* (1 Krn 25:1).

✓ W Księdze Sofoniasza czytamy: *Będzie się radował z ciebie niezwykłą radością, odnowi swoją miłość* (So 3:17; w Biblii

---

[23] Laurie Klein, *I Love You, Lord*, Marantha Music 1978, 1980, 1986.

brzeskiej: (…) *rozkocha się nad tobą z śpiewaniem* – przyp. red.). Sam Bóg raduje się nad nami i śpiewa! A kiedy On to robi, nie pozostaje nam nic innego, jak tylko odpowiedzieć Mu z wiarą!

✓ Niebo włącza się w nasze uwielbienie Boga za pomocą „pieśni Pana". Tamara Wilson pisze o tym tak: *Pieśń Pana to pieśń, która pochodzi i rozchodzi się od Pana Boga Wszechmogącego*[24]. Ta pieśń rozbrzmiewa, gdy wrażliwy muzyk czy solista zaczyna uwielbiać Boga słowami, nutami lub dźwiękami, które nie zostały wcześniej opracowane, spisane czy zarejestrowane. W tych wyjątkowych chwilach zdarza się, że ktoś wyśpiewuje piosenkę zawierającą celne słowo skierowane do Bożego ludu, który zgromadził się, by Go uwielbiać.

✓ W Liście do Efezjan Paweł zachęca Bożych ludzi do tego, by podczas wspólnych zgromadzeń śpiewali „duchowe pieśni" (Ef 5:19). Wydaje mi się więc logiczne, że skoro Bóg otacza swój tron w niebie chwałą, to także my, gdy gromadzimy się jako kościół, powinniśmy poświęcać na chwałę i uwielbienie odpowiednią ilość czasu.

Gdy pierwszy raz widziałem w kościele proroctwo przekazywane za pośrednictwem muzyki, stało się to przy wykorzystaniu najbardziej dla mnie nieprawdopodobnego ze wszystkich instrumentów – tuby! Gdy nasz kościół dopiero kiełkował, dużą grupę we wspólnocie stanowili muzycy studiujący na miejscowym uniwersytecie. Jednym ze studentów, który dołączył do naszej grupy uwielbienia, był młody

---

[24] Tamara Winslow, *The Song of The Lord*, Kingsway Publications Ltd., P.O. Box 827, BN21 3YJ, England, 1996.

mężczyzna o imieniu Elton. W zespole mieliśmy gitary, bębny, klawisze, solistów i… tubę. Elton był uzdolnionym muzykiem, ale co ważniejsze, był też bardzo wrażliwy duchowo. Nauczałem akurat na temat wykorzystania instrumentów w służbie proroczej, odwołując się do tego, co zrobił król Dawid: *Następnie Dawid i dowódcy wojska wyodrębnili synów Asafa, Hemana i Jedutuna, ludzi natchnionych, do służby przez grę na lutniach, cytrach i cymbałach* (1Krn 25:1). Chciałem zachęcić członków naszej małej wspólnoty, by odważyli się zrobić kilka kroków wiary, i poprosili Ducha Świętego, aby użył ich do tego, o czym mówiłem.

Grupa uwielbienia wróciła na scenę, by zagrać jeszcze jedną, ostatnią, piosenkę na zamknięcie naszego nabożeństwa. Gdy zagrali pierwsze ciche nuty, usłyszeliśmy niskie dźwięki odbijające się od drewnianej podłogi i betonowych ścian. Elton grał melodię, która nie pochodziła z żadnej znanej nam piosenki – mało tego, nie pochodziła z żadnej z piosenek znanych samemu Eltonowi! Ta piękna, poruszająca melodia wydawała się pochodzić prosto z nieba. Kilkoro z nas

ZWIĄZEK MIĘDZY CHWAŁĄ, UWIELBIENIEM, MUZYKĄ I PROROCTWEM PRZEWIJA SIĘ PRZEZ CAŁĄ BIBLIĘ

miało świadomość, że to, co słyszymy, to dużo więcej niż tylko ładne dźwięki zręcznie wydobywane z tuby. Duch Święty postanowił zasiąść i zagrać na najbardziej nieprawdopodobnym instrumencie, jaki znajdował się w sali. Gdy Elton skończył grę, jeden z chłopców z naszego kościoła wstał i powiedział: „Bóg przemówił do mnie, kiedy słuchałem tej melodii". Potem przekazał słowo prorocze, pełne zachęty, które po jakimś czasie okazało się być celną wskazówką dla rozwoju całego naszego kościoła. Od tamtego momentu wiele razy doświadczaliśmy podobnych rzeczy, które działy się przy udziale różnych ludzi, różnych głosów i różnych instrumentów. Doszedłem do przekonania, że muzyka i uwielbienie mogą uwalniać prorocze namaszczenie Ducha Świętego. Wierzę też, że z drugiej strony służba prorocza pobudza nas do uwielbienia Boga. Proroctwo i muzyka to związek pobłogosławiony w niebie!

Podczas modlitwy czy posługi proroczej widzieliśmy często, jak wrażliwi duchowo muzycy i soliści nie tylko prorokują, używając przy tym swoich instrumentów, ale także inspirują i pobudzają ludzi obdarzonych darami proroctwa, wiedzy i mądrości. Ale jak to wszystko działa w praktyce?

Oto, co wydaje się sprawdzać w naszym kościele. Jako pastor przełożony poświęcam czas na to, by szkolić naszych muzyków, solistów, tancerzy, aktorów, poetów, artystów i osoby obdarzone darem proroczym. Pomagam im w ten sposób zrozumieć boski związek między sztuką i proroctwem. Jednak nie zatrzymujemy się tylko na studiowaniu biblijnych zasad, zachęcamy się też wzajemnie do tego, by w bezpiecznym otoczeniu, na próbach, w grupach domowych czy podczas specjalnie organizowanych comiesięcznych spotkań wypełnionych uwielbieniem i przesiąkniętych Bożą obecnością odkrywać i doświadczać tego cudownego połączenia pomiędzy muzyką i proroctwem. Oczekujemy także poruszenia Ducha Świętego podczas naszych niedzielnych nabożeństw.

Słyszałem wielu liderów muzycznych mówiących: „Najlepsza spontaniczność jest dobrze zaplanowana". Dlatego zwracam uwagę na to, by podczas każdego naszego nabożeństwa zostawić trochę miejsca na oddech. Oto, co mam na myśli. Nasze nabożeństwa mogą być wypełnione do granic możliwości rzeczami, które uznajemy za ważne i konieczne – pilne ogłoszenia, błogosławieństwo dzieci, bo tylko w ten jeden konkretny weekend mogą się stawić wszyscy dziadkowie, kolekta, zbiórki itd. I jeśli w tym natłoku spraw nie zadbamy o to, by zostawić trochę miejsca na spontaniczność i nieco czasu na objawienie się Bożego prowadzenia, to może się okazać, że zamknęliśmy drzwi przed działaniem Duch Świętego. Duch Święty jest dżentelmenem. On często woli poczekać na nasze zaproszenie, zanim sam zacznie się między nami poruszać ze słowem proroczym, duchową podpowiedzią na temat modlitwy czy informacją, na czym się skupić podczas wezwania skierowanego do wspólnoty na zakończenie nabożeństwa.

Podczas spotkań skoncentrowanych na proroctwie (takich jak posługa prorocza przedstawiona w rozdziale 12.), proszę najbardziej wrażliwych duchowo muzyków i solistów, by wspierali zespół proroczy. Czasem wystarczy jeden instrument, pianino lub gitara. Innym razem zapraszam mały zespół z gitarą, basem, bębnami i klawiszami. Zależy nam na tym, by przez namaszczoną muzykę i piosenki zaangażować wspólnotę w śpiew i uwielbienie, i w ten sposób wspierać tych, którzy służą darem proroctwa. Często zwracam się do pianisty czy gitarzysty, by wprowadził łagodną, delikatną muzykę, która pomoże zbudować atmosferę wiary i otwartości. Nasz kościół doświadczył wielokrotnie niesamowitych momentów, kiedy muzyka i proroctwo płynęły razem, wzajemnie się wspierając. Czasami, podczas posługi proroczej, robiliśmy przerwę w modlitwie i usługiwaniu proroctwem, by wspólnie zaśpiewać pieśń uwielbienia. To często dodawało wspólnocie energii, by jeszcze głębiej wejść w uwielbienie i otworzyć się na tę potężną służbę prorokowania.

Pozwólcie, że zwrócę uwagę na jedną bardzo istotną rzecz – pastor lub lider prowadzący nabożeństwo i lider uwielbienia muszą działać w harmonii. Pastor musi rozumieć, że Duch Święty czasem decyduje się mówić do ludzi właśnie przez muzykę. Musi więc okazywać wsparcie i stwarzać przestrzeń dla takiej możliwości. Drażni mnie, kiedy pastor spędza czas uwielbienia na przeglądaniu swoich notatek z kazaniem. W ten sposób komunikuje zespołowi prowadzącemu uwielbienie, i całej wspólnocie, że uwielbienie w zasadzie nie jest takie ważne. Z drugiej strony, rozumiem, że pastor ma na głowie wiele rzeczy, z którymi musi się uporać. Często w ostatniej chwili dostaje od „życzliwych" karteczki przypominające o jakimś bardzo ważnym ogłoszeniu albo o tym, że siostra Bertha obchodzi właśnie dziś 80-te urodziny! Ja czasami dostaję karteczkę ze słowem zachęty i zbudowania, które sprawia, że czuję, jakbym znalazł brakujący element układanki, i już wiem, co Pan zaplanował dla naszej wspólnoty na ten konkretny dzień.

Pewnej niedzieli, w trakcie uwielbienia, pytałem Pana, jakich słów powinienem użyć podczas wezwania na kończącego kazanie. I wtedy jakiś mężczyzna wręczył mi karteczkę, na której było napisane: „Mam poczucie, że Pan chce dziś dać zbawienie ludziom obecnym na sali". Tą notatką Bóg odpowiedział na moją modlitwę. I tego wieczoru cztery osoby przyjęły zbawienie! Jakkolwiek bym się nie starał walczyć z rzeczami, które mnie rozpraszają w trakcie uwielbienia, one wciąż wracają. Jednak każdy lider musi pamiętać o tym, że ludzie, którzy patrzą na niego w trakcie uwielbienia i dostrzegają brak zaangażowania i rozkojarzenie, mogą pomyśleć, że uwielbienie nie jest dla liderów zbyt istotne. A co gorsza, mogą uznać, że w takim razie nie musi być istotne także dla nich. Martin Luther napisał kiedyś do przyjaciela zdanie, pod którym podpisuję się obiema rękami: *Obok słowa Bożego, muzyce należy się największa chwała*[25].

Z drugiej strony, lider uwielbienia musi respektować wskazówki pastora w zakresie ograniczeń czasowych, poziomu dźwięku i tego, kiedy jest najlepszy czas, żeby grać, a kiedy lepiej zachować ciszę. Relacja pomiędzy pastorem a liderem uwielbienia jest jedną z najważniejszych relacji w kościele. Nie chodzi mi o to, że muszą być

---

[25] Martin Luther, *Next to the Word of God, music deserves the highest praise.*

najlepszymi przyjaciółmi, ale ważne jest i to, by pielęgnowali swoją relację nie tylko przy okazji regularnych kościelnych spotkań. Muszą być ze sobą „na bieżąco", by ich współpraca mogła być efektywna. Jeśli pastor postrzega muzykę w kategoriach reklamy przyciągającej uwagę albo przygrywki przed kazaniem, kościół może stracić coś bardzo cennego. Z kolei, jeśli lider uwielbienia nie potrafi uznać autorytetu pastora, Duch Święty nie będzie mógł się poruszać tak swobodnie, jak by tego chciał. Jedność powinna być wysoko ceniona i świadomie podtrzymywana zarówno podczas niedzielnych nabożeństw, jak i w ciągu tygodnia.

Przykładem takiej relacji pastor – lider uwielbienia jest relacja Mojżesza i Aarona. Biblia mówi, że Mojżesz był przywódcą narodu Izraelskiego, a jego brat Aaron służył jako najwyższy kapłan.

MUZYKA TO POTĘŻNE NARZĘDZIE W RĘKACH NAMASZCZONYCH MUZYKÓW I SOLISTÓW. POŁĄCZENIE MUZYKI I PROROCTWA DZIAŁAJĄCYCH W JEDNOŚCI Z PASTOREM, JEST KOMBINACJĄ NIE DO POKONANIA!

To Mojżesz rozmawiał bezpośrednio z Bogiem. Został nawet nazwany przyjacielem Boga, a Pan użył go, by wyprowadzić swój lud z niewoli. Bóg przekazał na ręce Mojżesza prawo, które on później ogłosił potomstwu Izraela (2Mż 19–31). Na tej samej zasadzie, pastor słucha podczas modlitwy głosu Boga, rozmyśla nad nim i dzieli się ze wspólnotą tym, co otrzymał. Podstawowym obowiązkiem Aarona, tak jak dziś każdego lidera uwielbienia, było służyć Bogu i pomagać Mojżeszowi (2Mż 7:1-2, 19). Biblia opisuje zarówno te momenty, kiedy Mojżesz i Aaron współpracowali w zgodzie, jak i te, kiedy nie było im ze sobą po drodze. Mojżesz odebrał trudną lekcję, gdy zbuntował się przeciwko poleceniom Boga (4Mż 20:1-13). Aaron odebrał trudną lekcję, kiedy wystąpił przeciwko Mojżeszowi (4Mż 12). Kocham w Biblii to, że nie próbuje zamiatać pod dywan grzechów i porażek, i pokryć wszystkich swoich bohaterów lukrem, żeby lepiej się prezentowali w historii. Dzięki temu widzimy, że nawet tacy superświęci ludzie, jak Mojżesz czy Aaron, czasem z trudem uczyli się posłuszeństwa Bogu.

Nie zawsze było im też łatwo pracować z innymi ludźmi. Ciągle pojawiały się nowe, niespodziewane okoliczności. Kłótnie, zazdrość i chciwość co jakiś czas zbierały swoje żniwo. Dziś też musimy stawiać czoło podobnym sytuacjom, i dziś też mamy Wroga, który robi wszystko, żeby nas skłócić i zniszczyć. Dlatego właśnie polecenie Pawła z Listu do Efezjan jest takie ważne: *Dokładajcie starań, by zachować jedność Ducha w spójni pokoju* (Ef 4:3).

Wiele lat po śmierci Mojżesza i Aarona król Dawid dzieli się z nami mądrością, którą wyniósł z podobnych lekcji, przez które musiał przejść. Dawid był muzykiem i autorem tekstów, co pozwoliło mu spojrzeć nieco inaczej na sprawowanie funkcji króla i przywódcy narodu izraelskiego. Był nazywany „słodkim psalmistą Izraela". Dawid dobrze rozumiał przywództwo i rozumiał, na czym polega uwielbienie. Rozumiał także znaczenie proroctwa. I wiedział, jak ważne jest to, by być posłusznym głosowi Boga, bo to będzie stanowiło podstawę szczerej relacji z Bożym ludem. Dawid rozumiał też, że istnieje związek między jednością a obfitością Bożego błogosławieństwa. Oto, co napisał o mocy jedności i połączonej z nią cennej obietnicy:

O, jak to dobrze i miło, gdy bracia żyją w zgodzie! To niczym cenny olejek na głowie, który spływa na brodę – brodę Aarona, opadającą na skraj jego szaty. To niczym rosa Hermonu, która spada na góry Syjonu. Tak! Tam Pan zsyła błogosławieństwo, życie na wieki wieczne

Księga Psalmów 133:1-3

Muzyka to potężne narzędzie w rękach namaszczonych muzyków i solistów. Mówi się, że ludzie zawsze zapamiętywali więcej z kazań Johna Wesleya, gdy jego brat, Charles, zamieniał ich esencję w teksty piosenek. Proroctwo także jest potężną służbą, która może mieć ogromny wpływ na tych, którzy ją przyjmują. Połączenie tych dwóch służb, muzyki i proroctwa, działających w jedności z pastorem, jest kombinacją nie do pokonania!

Sposób, w jaki postępujemy w naszym kościele, niekoniecznie musi się idealnie sprawdzić w waszych warunkach. Zachęcam więc, żebyście szukali Bożej woli i Bożej drogi, jak w najbardziej efektywny sposób pobłogosławić waszą wspólnotę służbą muzyczną i proroczą. Widziałem, jak Duch Święty dokonywał w ludziach wspanialszych rzeczy w trakcie pięciu minut namaszczonej muzyki, która uwalniała proroctwo, niż w ciągu kilku lat duszpasterskiego poradnictwa. Z pełnym przekonaniem mogę zaświadczyć, że Bóg mówi przez muzykę. Zachęcam was, żebyście otworzyli drzwi i pozwolili muzyce grać. Będziecie wdzięczni, że to zrobiliście!

CZĘŚĆ 5

Przestrzeń dla służby proroczej w Kościele

15

PROWADZENIE I ROZWIJANIE SŁUŻBY PROROCZEJ

Tom Lane

Wielkanoc zbliżała się wielkimi krokami i byliśmy mocno zajęci planowaniem, jak połączyć cztery weekendowe nabożeństwa w jedno duże spotkanie, które miało się odbyć w audytorium w naszym mieście. Kilku liderów dało mi znać, że pewne małżeństwo – które kiedyś należało do naszego kościoła, ale z jakiegoś powodu obraziło się i odeszło ze wspólnoty – zamierzało przyjść i właśnie podczas wielkanocnego nabożeństwa przekazać wszystkim słowo prorocze. Skontaktowałem się z nimi, by potwierdzić ich plany, i poprosiłem, by wpadli do nas i porozmawiali o swoim „słowie", zanim pojawią się na nabożeństwie. Zgodzili się, choć niechętnie. Podczas spotkania poinformowali nas, że czują się odpowiedzialni jedynie przed Bogiem i jeżeli nie przyjmiemy ich „słowa", Pan usunie swoją obecność z naszego kościoła i zapłonie nad nami żarem swojego sądu. Odpowiedzieliśmy grzecznie, że nie uznajemy ich „słowa" jako słowa pochodzącego od Boga i jeżeli będą usiłowali zakłócić nabożeństwo, ochrona wyprosi ich z budynku. Mimo to para pojawiła się na wielkanocnym spotkaniu, zajęła nawet miejsca w pierwszym rzędzie, ale zachowała swoje słowo dla siebie.

Gdy służba prorocza jest postrzegana jako wyraz Bożego działania, które ma na celu obnażenie grzechu, przywołanie do porządku zbuntowanych ludzi oraz przeciwstawianie się niedoskonałemu przywództwu, a jednocześnie prorok nie czuje się odpowiedzialny przed nikim z wyjątkiem samego Boga, trudno się dziwić, że osoby odpowiedzialne za prowadzenie i rozwój kościoła podchodzą do tej posługi niechętnie i ze sporym dystansem. Taki rodzaj służby budzi przerażenie w każdym pastorze i w każdej wspólnocie, która pragnie poznawać i doświadczać obecności Boga oraz służyć Jemu i Jego ludziom. W końcu, który pastor przy zdrowych zmysłach odrzuciłby słowo od Boga, ryzykując tym samym ściągnięcie na swój kościół Bożego sądu? Kierując się gorącym pragnieniem grania w „Bożej drużynie", często zamiast posłuchać tego, co podpowiada nam instynkt, pozwalamy, by ktoś noszący w sobie jakąś urazę do liderów kościoła, terroryzował swoim słowem całą wspólnotę wierzących. Niektórzy błędnie uważają, że proroctwo to Boży sposób na upominanie przywódców i czuwanie nad tym, by w pokorze chodzili przed Bogiem. W rezultacie tacy ludzie starają się zaszczepić swoje urazy innym, wzbudzając w nich poczucie winy i strachu.

> POWINNIŚMY UCZYĆ I ROZWIJAĆ **NOWE POKOLENIE PROROKÓW, KTÓRZY BĘDĄ SŁUŻYĆ SWOIM DAREM WEDŁUG MODELU OPISANEGO** W NOWYM TESTAMENCIE

Jeśli Kościół działa w oparciu o to starotestamentowe (w dodatku, niejednokrotnie mniej lub bardziej wypaczone – *przyp. red.*) rozumienie proroctwa, tworzy się specyficzny układ sił, który bardzo utrudnia prowadzenie i rozwijanie służby proroczej. Sytuacje podobne do tej, z jaką musiałem się zmierzyć w czasie nabożeństwa wielkanocnego, powodują, że zespół przywódczy zaczyna budować wokół kościoła mur obronny, który ma trzymać potencjalnie niebezpiecznych ludzi w bezpiecznej odległości. Wystarczy kilka podobnych doświadczeń, by przywódcy kościoła przybrali postawę obronną, chcąc powstrzymać kilku poranionych ludzi przed wylaniem swoich frustracji na wspólnotę i jej liderów. Agresywne i błędne manifestacje proroctwa, którymi tacy ludzie miotają w imię Boga, ranią innych, a używanie Bożego imienia dla usprawiedliwienia wyniszczających zachowań, znieważa Boże dzieła. Nowotestamentowy model proroctwa stanowi przeciwieństwo tego rodzaju praktyk. Służba prorocza jest w nim mocno związana z kościołem i stanowi potężne narzędzie niosące zachętę i zbudowanie całej wspólnocie i poszczególnym wierzącym.

Powinniśmy uczyć i rozwijać nowe pokolenie proroków, którzy będą służyć swoim darem według modelu opisanego w Nowym Testamencie. Korzystając z licznych opowieści zapisanych na kartach Dziejów Apostolskich, musimy pobudzać ludzi, którzy są częścią wspólnoty wierzących, do tego, by korzystali z darów, jakie złożył w nich sam Bóg, i w ten sposób budowali i umacniali Kościół. O jednej z takich historii czytamy w Dziejach Apostolskich:

> *W Antiochii, w tamtejszym kościele, prorokami i nauczycielami byli: Barnaba, Symeon, noszący przydomek Niger, Lucjusz Cyrenejczyk, Manaen, który wychowywał się z tetrarchą Herodem, oraz Saul. **W czasie, gdy prowadzili publiczne nabożeństwo i pościli, Duch Święty powiedział**: Oddzielcie mi Barnabę i Saula do tego dzieła, do którego ich powołałem. Wtedy, po zakończeniu postu i modlitwy, włożyli na nich ręce i ich wyprawili.*

Dzieje Apostolskie 13:1-3; wyróżnienie dodane

Te trzy wersety przekazują nam kilka ważnych informacji. Po pierwsze, w kościele działali prorocy i nauczyciele. Ich służba nie funkcjonowała poza kościołem, przeciwnie – pozostawali w relacjach i byli odpowiedzialni przed innymi wierzącymi w kościele. Jeśli zaczynało się z nimi dziać coś dziwnego, stawali się fałszywie religijni czy niezdrowo uduchowieni, byli pociągani do odpowiedzialności wewnątrz lokalnego kościoła, do którego należeli. Relacje pozwalały im zachowywać równowagę i dzięki tym relacjom możliwe było napomnienie. I tak samo działa to dziś, gdy nasza służba pozostaje w stałej relacji z kościołem. Ta sama zasada miała zastosowanie w przypadku, gdy służba była bezowocna i powodowała szkody w ciele wierzących. Biorąc pod uwagę relacje, w jakich wspomniani prorocy i nauczyciele pozostawali z przywództwem kościoła i ze sobą nawzajem, staje się jasne, że ich służba była Bożym dziełem. Wydaje się oczywiste, że ich oddanie i poddanie się Bożej woli i prowadzeniu było wspierane i kierowane przez relacje, jakie mieli w lokalnym kościele.

Po drugie, służba prorocza była rozpoznawana, ceniona i przyjmowana w kościele jako dar pożyteczny dla całej wspólnoty wierzących. Dzięki tej zdrowej, relacyjnej atmosferze przejawy proroctwa nie były odrzucane, ale przyjmowane z otwartymi ramionami. Wierzący nie opierali się proroctwu, ale akceptowali, cenili i wspierali jego manifestacje.

Po trzecie, służba prorocza przyspieszała proces rozpoznawania powołania i posyłania ludzi do pełnienia właściwej służby. Z pewnością nie był to jedyny sposób, w jaki Bóg mówił i prowadził wierzących w stronę odkrywania i realizowania ich specyficznego powołania, jednakże był to, zarówno dla nich, jak i dla liderów kościoła, jasny i czytelny głos potwierdzający Boże namaszczenie, kierunek i przeznaczenie danej osoby do podjęcia konkretnej roli w służbie.

UPRAWOMOCNIENIE PROROCTWA

Czy Bóg wciąż dzisiaj mówi? A jeśli tak, to jakich metod używa? Czy powinienem badać otrzymane słowo patrząc na nie z perspektywy Pisma, czy może powinienem bez zbędnych pytań przyjmować wszystko, co zostało mi dane jako pochodzące od Boga? Jeśli proroctwo jest jednym ze sposobów komunikowania się Boga z nami, to gdzie i jak powinno być praktykowane?

Samo bycie otwartym na to, co Bóg chce robić za pośrednictwem proroctw, wcale nie oznacza, że możemy uznać przejawy daru proroctwa za uzasadnione i autentyczne. Jeśli chcesz prowadzić i rozwijać w swoim kościele służbę proroczą, musisz rozpocząć od przydzielenia proroctwu odpowiedniego miejsca i nadania mu właściwego znaczenia we wspólnocie. Jeśli chcesz doświadczać w swoim kościele proroczych

> **KAŻDA SŁUŻBA POWINNA BYĆ OPARTA O BIBLIJNE ZASADY I POWINNA ODZWIERCIEDLAĆ NATURĘ I CHARAKTER BOGA**

manifestacji, to najpierw musisz zadbać o solidny fundament, a najlepiej zrobisz to przez głoszenie słowa i nauczanie.

Lokalny kościół nie może być prowadzony przez odczucia i osobiste opinie. Należy jasno określić formy i granice proroczych manifestacji. Bez właściwego prowadzenia wszystko, nie tylko proroctwo, może wymknąć się spod kontroli, dlatego należy ustalić odpowiednią strukturę dla rozwoju, prowadzenia i monitorowania przejawów proroctwa. Kościół jest miejscem, w którym Bóg objawia siebie i swoje dzieła, dlatego musi stanowić Jego odbicie. **Każda** służba powinna być oparta o biblijne zasady i powinna odzwierciedlać naturę i charakter Boga. Proroctwo jest darem duchowym – to działanie Ducha Świętego **przez** jakąś osobę w stosunku **do** drugiej osoby lub do całej grupy – i jego właściwe zrozumienie musi być oparte na biblijnych fundamentach i na szacunku dla wskazanego przez Boga przywództwa.

Wypracowanie strategii dla służby proroczej to konieczny element uzasadniania jej roli w kościele. Zdrowe rzeczy rozwijają się etapami. Kiedy już uprawomocnisz obecność proroctwa i jego przejawów w swoim kościele, będziesz mógł spokojnie pozwolić mu się rozwijać, zamiast czuć nieustanną presję natychmiastowego autoryzowania każdej proroczej manifestacji.

OKREŚLANIE GRANIC PROROCTWA

Gdy proroctwo zajmie już właściwe miejsce w twoim kościele, będzie potrzebować prowadzenia. Ktoś musi kierować rozwojem służby proroczej i czuwać nad ludźmi obdarzonymi tym darem w kościele. Każda służba jest przecież podporządkowana kościelnej strukturze przywództwa, więc osoba wyznaczona do tego, by kierować i nadzorować służbę proroczą, jest odpowiedzialna za to, by swoją postawą odzwierciedlać serce i wartości liderów kościoła. Jeśli twój kościół dopiero zaczyna swoją przygodę ze służbą proroczą, to podstawowym obowiązkiem osoby wyznaczonej do pełnienia funkcji lidera jest upewnienie się, że pastor przełożony, starsi i członkowie rady w pełni popierają wypracowane kierunki i granice tej służby. Chcę przez to jasno i wyraźnie powiedzieć, że nie powinieneś zachęcać do praktykowania proroczych manifestacji podczas nabożeństwa czy uwielbienia, nie mając pełnego poparcia ze strony pastora przełożonego i liderów kościoła. Jeśli twój kościół był już kiedyś otwarty na działanie służby proroczej, ale jej praktyka nie była prawidłowa, potrzebna będzie zmiana kierunku i przeprowadzenie szkolenia, które pozwoli na nowo zapoznać kościół z ustalonymi i wprowadzonymi w życie regułami i granicami służby.

Gdy przedstawiasz swojej wspólnocie biblijne kryteria dotyczące wyrażania darów duchowych – szczególnie proroctwa – upewnij się, by razem z wypracowanymi przez zespół przywódczy twojego kościoła wskazówkami, przedstawić też te wynikające bezpośrednio z Biblii. Oto kilka z nich do rozważenia:

1. Jeśli proroctwo jest przekazywane publicznie, należy też publicznie zbadać słowo i jeśli to konieczne, publicznie je skorygować, dobierając odpowiednie formy przekazu.

2. Każde przekazane słowo musi odzwierciedlać serce podporządkowane Bogu i liderom wyznaczonym przez Niego w kościele. Jeśli ten warunek nie jest spełniony, oznacza to, że słowo pochodzi ze zbuntowanego serca, a Bóg nigdy nie wykorzystuje służby, by wywołać bunt.

3. Każde słowo prorocze powinno być rozsądzone z punktu widzenia Pisma Świętego i musi odzwierciedlać i Ducha Boga, i Jego Słowo. Jeśli słowo jest przekazywane w ostry, poniżający lub protekcjonalny sposób, zostanie odrzucone jako niepochodzące od Boga. Biblia mówi, że celem służby proroczej jest budowanie poszczególnych osób i całego ciała wierzących i ma ono nieść umocnienie, zachętę i pociechę (1Kor 14:3).

4. Każda prorocza manifestacja powinna mieć miejsce we właściwym momencie nabożeństwa lub spotkania. Jeśli zakłóca ich przebieg i nie jest podporządkowana liderom prowadzącym spotkanie, słowo zostanie uznane za niewłaściwe, niezależnie od jego treści. Pismo mówi, że duch proroctwa jest poddany prorokowi, więc przekazanie słowa we właściwy sposób zależy od woli i chęci danej osoby.

5. Służba prorocza utwierdza, buduje, pociesza i zachęca. Nie nakazuje, nie manipuluje i nie wymaga podejmowania żadnych działań na rzecz osoby przekazującej proroctwo. Jeśli osoba, która przyjmuje słowo, nie doświadcza Bożego poruszenia, by zastosować dane słowo w swoim życiu, nie oczekuje się od niej i nie wymusza się podjęcia żadnych kroków.

TWORZENIE ZESPOŁÓW PRORCZYCH

Gdy zespół przywódczy kościoła nadał już służbie proroczej odpowiednie miejsce i wyznaczył reguły i granice jej praktykowania, przychodzi czas na przygotowanie i zbudowanie zespołu proroczego. Możesz rozpocząć od ogłoszenia wspólnocie kiedy i gdzie odbędzie się najbliższe szkolenie w zakresie służby proroczej. W ten sposób przyciągniesz uwagę nie tylko tych, którzy są potencjalnie zainteresowani tematem, ale także tych, którzy być może wyczuwają u siebie prorocze obdarowanie.

Rozpocznij szkolenie od przekazania biblijnych wskazówek dotyczących proroctwa. Powinny one stanowić absolutny fundament dla każdego z uczestników. Pierwszy List do Koryntian czyni jasne rozróżnienie pomiędzy służbą proroczą a słowem proroczym, które dana osoba przekazuje pod natchnieniem Ducha Świętego. Duch Święty może użyć **każdego**, by przynieść słowo zachęty, zbudowania i pocieszenia konkretnej osobie lub całej wspólnocie (1Kor 14:3). Ale kiedy ktoś regularnie otrzymuje i przekazuje takie słowa i ten dar zostaje potwierdzony przez przywódców w lokalnym kościele, można powiedzieć, że ta osoba nie tylko przekazuje słowo prorocze, ale posługuje się darem proroctwa.

Szkolenie powinno też jasno określić, gdzie leżą granice służby proroczej i proroczych manifestacji. Poinformuj uczestników, jakie mechanizmy i procedury wypracowane przez liderów mają służyć przestrzeganiu ustalonych granic. Postaw sprawę jasno, wytłumacz, że choć wierzymy, że słowa prorocze pochodzą od Boga, to ci, którzy je przekazują, muszą być podporządkowani i odpowiadać przed przywództwem kościoła. Jest to konieczne, jeśli chcemy, by zespół proroczy i poszczególne osoby mogły rozwijać swoje dary i służyć nimi w efektywny i właściwy sposób.

Gdy już podzielisz się ze swoim zespołem biblijnymi wskazówkami i upewnisz się, że wszyscy mają właściwe zrozumienie reguł i granic, ostatnim krokiem szkolenia jest stworzenie im możliwości do podjęcia służby. Celem każdej służby w kościele jest: 1) niesienie pomocy ludziom, 2) szkolenie i przygotowywanie ludzi do reprezentowania Boga poza kościołem. Przygotowując wierzących do pełnienia służby proroczej, musimy zwrócić szczególną uwagę na to, w jaki sposób przekazują oni otrzymane słowo, by także ci, którzy nie są na co dzień związani z kościołem, mogli przyjąć Boże działanie.

Na koniec chciałbym dodać, że służba prorocza, choć praktykowana przede wszystkim wewnątrz kościoła, powinna też wychodzić **na zewnątrz** wspólnoty. Nie każdy ma świadomość tego, że Bóg wciąż do nas mówi, tym bardziej nie spodziewa się usłyszeć Boga przemawiającego do niego w konkretnej życiowej sytuacji. Tak, ludzie mogą nie być tego świadomi, ale nie zmienia to faktu, że każdy potrzebuje słowa od Boga, bo **jedno słowo od** Boga zmienia **wszystko** w naszym życiu.

RODZAJE PROROCZYCH MANIFESTACJI

Przywódcy w porozumieniu z liderami koordynującymi poszczególne służby w kościele powinni zdecydować, kiedy i w jakich okolicznościach dary Ducha Świętego będą mogły się manifestować w kościele. Choć niektórym może się to wydawać dziwne, zarządzanie czasem, miejscem i metodami manifestowania się proroctwa wcale nie ogranicza Ducha Świętego ani nie tłumi Jego działania. Podobnie jak wyznaczenie podczas niedzielnego nabożeństwa określonego czasu na uwielbienie i na głoszenie kazania nie ogranicza Bożej zdolności do działania przez te elementy służby. Zarządzanie służbą proroczą umacnia jej pozycję i uzasadnia jej przejawy. Choć wiele kościołów umieszcza służbę proroczą tylko w kontekście nabożeństwa uwielbienia, to nie jest to jedyna przestrzeń, w której mogą się manifestować dary Ducha. Kiedy wprowadzimy już służbę proroczą do naszego kościoła, powinniśmy zastanowić się nad różnymi możliwościami praktykowania tej służby. Przedstawię różnorodne okoliczności, w których służba prorocza okazała się być prawdziwym błogosławieństwem w naszym kościele.

SŁUŻBA PROROCZA, CHOĆ PRAKTYKOWANA PRZEDE WSZYSTKIM WEWNĄTRZ KOŚCIOŁA, POWINNA TEŻ WYCHODZIĆ NA ZEWNĄTRZ WSPÓLNOTY

1. Grupy domowe

Grupy domowe to bardzo ważny element budowania relacji w kościele i rozwijania procesu uczniostwa. Wyrażanie darów Ducha Świętego, szczególnie daru proroctwa, może być szczególnie korzystne w małej grupie. Łatwiej tam poznać osobę, która służy darem proroctwa, a jeśli słowo prorocze musi zostać sprostowane, w małym gronie łatwiej to zrobić w łagodny i niezawstydzający sposób. Jeśli chcemy zachęcać ludzi do praktykowania i przyjmowania proroctwa w grupach domowych, koniecznie musimy zadbać o odpowiednie przygotowanie liderów, tak by dbali o właściwe posługiwanie się darami duchowymi.

2. Spotkania dla nowych członków

Jeśli organizujecie w kościele specjalne spotkania dla nowych członków, to słowo prorocze wygłoszone do osób wkraczających na drogę większego zaangażowania w życie kościoła i służbę może być bardzo zachęcające. Można to zrobić na zakończenie cyklu spotkań albo podczas specjalnie przygotowanego nabożeństwa. Wszystko zależy od liczebności grupy i możliwości technicznych. Jeśli organizujesz specjalne nabożeństwo, przygotuj kilka sal, w których zespoły prorocze będą usługiwać poszczególnym osobom. Ustal harmonogram spotkań tak, by każda osoba wiedziała, o której godzinie i w której sali powinna się zjawić. Zachęcam też do nagrywania spotkań i przekazywania każdemu uczestnikowi zapisów audio (można to zrobić jeszcze tego samego wieczoru lub nieco później, gdy tylko ekipa techniczna upora się ze skopiowaniem i udostępnieniem nagrań).

3. Służba modlitwy

Powołany i przeszkolony zespół proroczy może stać się częścią grupy modlitewnej, która modli się o ludzi odpowiadających na wezwanie podczas nabożeństwa. Dzięki przeszkoleniu osoby służące darem proroczym będą już świadome zasad i granic, które wiążą się z publicznym pełnieniem tej służby. Warto zadbać o to, by członków zespołu proroczego dało się łatwo rozpoznać. W zupełności wystarczy zawieszony na szyi identyfikator lub specjalnie wydzielone miejsce z przodu sali. Dzięki temu osoby potrzebujące zachęty, zbudowania czy pocieszenia będą wiedziały, do kogo podejść, by poprosić o posługę.

4. Posługa prorocza

Raz lub dwa razy do roku warto wybrać liderów, zarówno tych dopiero rozpoczynających, jak i tych bardziej doświadczonych, i zorganizować dla nich posługę proroczą. Zaproś osoby, które posiadają dar proroctwa, by usłużyli waszym liderom i kandydatom na liderów. Zadbaj o to, by nagrać, a potem spisać przekazane słowa. Dzięki temu będziesz mógł pochylić się nad nimi z każdą osobą i zastanowić się, w jaki sposób zastosować je w życiu i służbie poszczególnych osób.

5. Słowo potwierdzenia dla służby w kościele

To szczególne wydarzenie lub czas podczas nabożeństwa, kiedy zespół proroczy przekazuje słowo prorocze poszczególnym osobom, wskazując na ich specyficzne powołanie w kościele. W takich sytuacjach zespół przywódców i liderów, którzy czuwają i koordynują działania wszystkich służb w kościele, powinien potwierdzić to konkretne wskazanie i pokierować te osoby dalej.

6. Inne drogi włączania proroctwa w życie twojego kościoła

Oto inne jeszcze sposoby rozwijania służby proroczej, które stosujemy w Gateway. Mam nadzieję, że będą dla ciebie inspiracją. Oczywiście nie musisz ich wszystkich wprowadzać od razu do swojej wspólnoty, ale możesz korzystać z nich stopniowo, budując wizję i strukturę służby.

a. Ścieżka prorocza w procesie uczniostwa lub w programie Szkoły Niedzielnej
Wprowadź w semestrze jedne zajęcia podejmujące temat proroctwa (modlitwa, uwielbienie, ewangelizacja itp. – w kontekście praktykowania daru proroctwa)

b. Zajęcia tematyczne dotyczące proroctwa

Zaproponuj wspólnocie zajęcia tematyczne dotyczące proroctwa, które odbywałyby się raz w tygodniu przez okres czterech – pięciu tygodni. Powtórz takie sesje kilka razy w roku.

c. Sesje prorocze dla liderów

Raz do roku zorganizuj spotkania posługi proroczej dla grupy liderów z twojego kościoła lub liderów związanych z twoim kościołem. Wybierz kandydatów i zaplanuj uwielbienie, krótkie wprowadzenie dotyczące proroctwa i przerwy na wspólną rozmowę.

d. Tematyczne sesje prorocze

Zorganizuj specjalne spotkania służby proroczej dla młodzieży kończącej szkołę średnią, liderów grup domowych, singli, grup kobiet i mężczyzn lub jakiejkolwiek innej grupy działającej w ramach twojego kościoła.

e. Służba prorocza podczas konferencji

Jeśli organizujesz konferencję, zaplanuj czas na indywidualne i grupowe sesje prorocze.

f. Zespół misyjnej służby proroczej

Zachęć mały zespół proroczy do tego, by służył proroctwem liderom kościołów z innych krajów, odwiedzającym waszą wspólnotę.

g. Strona internetowa
   Na stronie internetowej twojego kościoła podawaj informacje o planowanych wydarzeniach proroczych i dane do kontaktu dla osób, które chciałyby się w nie zaangażować.

Kominek w domu jest elementem, który zapewnia przyjemne ciepło i tworzy wspaniałą atmosferę podczas rodzinnych spotkań. Najważniejszą częścią kominka jest wkład, który kontroluje ogień, wyprowadza dym przez dach i rozprowadza ciepło, którym możemy się cieszyć w domu. Bez wkładu ogień wymknąłby się spod kontroli i stałby się niebezpieczny, mógłby nawet zagrozić pożarem całego domu. Duch Święty i Jego dary są jak ogień płonący w sercach Bożych ludzi. I choć z pewnością nie jesteśmy w stanie Nim zarządzać, możemy przygotowywać i poszerzać przestrzeń w kościele dla Jego dzieł. Wskazówki i zasady, które omówiliśmy w tym rozdziale są jak wkład w kominku – podtrzymują i ukierunkowują używanie darów Ducha Świętego tak, by owocem Jego pracy i obecności wśród nas i w naszej wspólnocie były miłość, radość, pokój, cierpliwość, dobroć, łagodność, życzliwość i wstrzemięźliwość dla Jego chwały i czci!

16
PROROCTWO I BŁOGOSŁAWIEŃSTWO DZIECI
Wayne Drain

Więc i ja odstąpię go Panu; po wszystkie dni życia będzie
oddany Panu. I pokłonili się tam Panu.
1Sm 1:28

Jednym z moich ulubionych zadań jako pastora jest błogosławienie dzieci. Doceniam bardzo ten wspaniały czas spędzony z rodzinami. Fakt, że mogę w ten sposób uczestniczyć w życiu członków mojego kościoła, okazuje się być dla mnie wielkim błogosławieństwem.

Nie znajdujemy w Biblii uzasadnienia, by chrzcić niemowlęta, dlatego nie praktykujemy tego w naszym kościele. Chrzcimy natomiast wierzących. W Ewangelii Marka czytamy: *Kto uwierzy i zostanie ochrzczony, będzie zbawiony, a kto nie uwierzy, będzie potępiony* (Mk 16:16). To znaczy, że chrzcimy tych, którzy są dostatecznie dojrzali, by zrozumieć zobowiązanie, jakiego się podejmują, przyjmując Chrystusa jako swojego Pana i Zbawiciela. Dostrzegamy jednak solidne biblijne podstawy do tego, by błogosławić dzieci.

Pierwsza Księga Samuela opowiada historię Anny. Kobieta była bezpłodna i z tego powodu była przedmiotem kpin ze strony innych kobiet. W desperacji wołała do Boga: *Panie Zastępów! Jeśli wejrzysz na niedolę swojej służebnicy i jeśli wspomnisz na mnie, a nie zapomnisz o swojej służebnicy i dasz swojej służebnicy męskiego potomka, to ja oddam go Panu po wszystkie dni jego życia, i nożyce nie dotkną jego głowy* (1Sm 1:11).

Kapłan Heli, obserwując Annę i słuchając jej przepełnionych smutkiem modlitw, powiedział: *Idź w pokoju, a Bóg Izraela da ci to, o co go prosiłaś* (1Sm 1:17). I dalej, w wierszu 20, czytamy: *Po upływie pewnego czasu Anna poczęła i porodziła syna, i dała mu na imię Samuel, gdyż – jak mówiła: Od Pana go wyprosiłam.* Kiedy Anna urodziła Samuela, nie zapomniała o złożonej obietnicy. Gdy odstawiła syna od piersi, wróciła do kapłana Heliego i przypomniała mu słowa, które kiedyś od niego usłyszała: *O tego chłopca się modliłam, a Pan spełnił moją prośbę, jaką do niego zaniosłam. Więc i ja odstąpię go Panu; po wszystkie dni życia będzie oddany Panu. I pokłonili się tam Panu* (1Sm 1:27-28). I gdy Anna poświęciła Samuela Panu, wzniosła przepiękną modlitwę dziękczynienia:

> *Weseli się serce moje w Panu, wywyższony jest róg mój w Panu, szeroko rozwarte są usta moje nad wrogami mymi, gdyż raduję się ze zbawienia twego. Nikt nie jest tak święty, jak Pan, gdyż nie ma nikogo oprócz ciebie, nikt taką skałą jak nasz Bóg. Nie mówcie ustawicznie wyniośle, niech nie wychodzi zuchwalstwo z ust waszych, gdyż Pan jest Bogiem, który wszystko wie, Bogiem, który waży uczynki. Łuk bohaterów będzie złamany, lecz ci, którzy się potkną, opaszą się mocą. Syci wynajmują się za kawałek chleba, a głodni przestają głodować, niepłodna rodzi siedemkroć, a ta, która ma wiele dzieci, więdnie. Pan zadaje śmierć, ale i przywraca do życia, strąca do krainy umarłych, ale i wyprowadza, Pan zuboża, ale i wzbogaca, poniża, ale i wywyższa. Wywodzi z prochu biedaka, podnosi ze*

śmietniska ubogiego, aby go posadzić z dostojnikami, przyznać mu krzesło zaszczytne, albowiem do Pana należą słupy ziemi, On na nich położył ląd stały. Nogi swoich nabożnych ochrania, lecz bezbożni giną w mroku, gdyż nie przez własną siłę mąż staje się mocny. Walczący z Panem będą zdruzgotani, Najwyższy w niebie pobije ich. Pan sądzić będzie krańce ziemi i da moc królowi swemu, i wywyższy róg Pomazańca swego.

1 Księga Samuela 2:1-10

Gdy Anna skończyła się modlić, oddała Samuela Heliemu, by pod jego opieką uczył się służyć Panu. Jak czytamy w 1Sm 2:11, *chłopiec służył Panu przy kapłanie Helim.* Mały Samuel wyrósł na wielkiego proroka, którego Bóg używał w potężny sposób w czasach panowania króla Saula i króla Dawida.

Biblia przytacza jeszcze wiele innych przykładów błogosławienia dzieci i poświęcania ich Panu. Moja ulubiona historia pochodzi z Ewangelii Łukasza, gdy Maria i Józef udają się do Jerozolimy, by poświęcić Jezusa Bogu. Ten fragment przedstawia nam też postać Symeona, który był bardzo oddany Bogu i któremu duch Święty powiedział, że nie umrze, dopóki nie zobaczy długo oczekiwanego, obiecanego Mesjasza:

W Jerozolimie natomiast przebywał niejaki Symeon. Był to człowiek sprawiedliwy i oddany Bogu. Oczekiwał on spełnienia się obietnic mających pocieszyć Izrael i żył pod wyraźnym wpływem Ducha Świętego. Duch Święty zapowiedział mu wcześniej, że nie zazna on śmierci, dopóki nie ujrzy Chrystusa, Wybawcy posłanego przez Pana. Natchniony przez Ducha Symeon przyszedł do świątyni i gdy rodzice wnosili Jezusa, aby postąpić z nim według zwyczaju Prawa, wziął Dziecko w ramiona, oddał cześć Bogu i powiedział: Teraz, Władco, zgodnie z Twoimi słowami, pozwalasz swojemu słudze odejść w pokoju, gdyż moje oczy zobaczyły Twoje zbawienie, które przygotowałeś wobec wszystkich ludów: Światło objawienia dla pogan i chwałę ludu – Izraela. Słowa te zdziwiły ojca i matkę Jezusa. Symeon zaś życzył im wszelkiego powodzenia, a do Marii, Jego matki, powiedział: Oto ten został ustanowiony, aby być powodem zarówno upadku, jak i podźwignięcia się wielu ludzi w Izraelu oraz jako znak, o który będą się spierać. W ten sposób wyjdą na jaw zamysły wielu serc; przy tym też twoją własną duszę przeszyje miecz cierpienia.

Ewangelia św. Łukasza 2:25-35

Symeon nie był jedynym prorokiem, który tego dnia przebywał w świątyni. Łukasz pisze dalej:

Przebywała tam również prorokini Anna, córka Fanuela, z ple-mienia Aser. Była to kobieta w bardzo podeszłym wieku. Od czasu swojego panieństwa żyła z mężem tylko siedem lat, a na-stępnie była wdową do osiemdziesiątego czwartego roku życia. Dniami i nocami nie opuszczała świątyni, gdzie oddawała Bogu cześć w postach i w modlitwach. Właśnie w tym czasie pode-szła, stanęła obok, zaczęła dziękować Bogu i mówić o Jezusie wszystkim oczekującym odkupienia Jerozolimy. Następnie po spełnieniu wszelkich wymagań Prawa Pańskiego, wrócili do Galilei, do swego miasta Nazaret. Dziecko natomiast rosło, na-bierało sił oraz mądrości, a Bóg otaczał je swoją łaskawą opieką.

Ewangelia św. Łukasza 2:36-40

Kilka lat temu te dwie historie opowiadające o błogosławień-stwie Samuela i Jezusa bardzo mnie zainspirowały. Zacząłem się nad nimi zastanawiać i pomyślałem, że może błogosławieństwo dzieci w kościele powinno wiązać się z czymś więcej niż wystrojenie malu-cha, zgromadzenie rodziny, posłuchanie modlitwy i zrobienie kilku ładnych zdjęć. W tym wszystkim nie ma absolutnie nic złego, to miły moment, który na długo zapada w pamięci całej rodziny. Ale wzbogacenie uroczystości o element służby proroczej pozwala nie tylko pobłogosławić dziecko, ale rozciągnąć nad jego życiem słowa zachęty, zbudowania i pociechy (1Kor 14:3).

Szesnaście lat temu miałem przywilej brać udział w błogosławieństwie Bena, który obecnie jest członkiem grupy młodzieżowej w naszym kościele. Chciałem podzielić się z wami świadectwem jego ojca, w którym opisuje samo to wydarzenie i wpływ, jaki wywarło na życie całej ich rodziny.

W październiku 1997 roku razem z żoną, Jennifer, przynieśliśmy do kościoła naszego syna Bena. Podczas błogosławieństwa Wayne podzielił się z nami słowem dla Bena, które przekazał mu Pan. Proroctwo mówiło, że Ben będzie „najbardziej szczęśliwy, kiedy będzie coś tworzył". Wayne dodał też, że słyszy muzykę w jego życiu i widzi litery, które powołuje do życia. Następnie Wayne zaczął opisywać związki Bena z kościołem: „Ben będzie prawdziwym synem swojego domu. Będzie kochał swój kościół".

Dziś Ben ma 16 lat i większość swojego wolnego czasu spędza na próbach swojego zespołu, biorąc udział w nagraniach sztuk teatralnych, uczestnicząc w turniejach oratorskich albo siedząc ze swoją gitarą, śpiewając i pisząc piosenki. Czujemy się ogromnie pobłogosławieni, gdy słyszymy, jak nasz syn z pasją opowiada o tym, że kościół jest dla niego ważny i cenny, i traktuje go jak swoją rodzinę.

Ale proroctwo wygłoszone nad Benem podczas jego błogosławieństwa zawierało jeszcze jeden element, który odnosił się do specyficznego rodzaju służby, której podejmie się w swoim życiu: „Będzie pracował na marginesie kościoła…, w miejscach, w których ludzie cierpią. Będzie dla nich mostem, przez który przejdą z ciemności do światła. Rodzice, nie zamartwiajcie się, gdy będzie przebywał z rówieśnikami o wątpliwej reputacji. Jego charakter będzie odpowiedzią na ich wątpliwości. Trwajcie przy nim, ale zostawcie mu też przestrzeń do tego, by mógł odkrywać miejsce swojej służby".

Zainteresowanie muzyką i sztuką często prowadziło Bena na obrzeża kościoła, gdzie ukrywali się jego kreatywni, inteligentni i często poranieni rówieśnicy. Jednym z nich jest Chris. Wspólnie uczęszczali na niektóre zajęcia i interesowali się tworzeniem sztuk teatralnych, więc szybko zostali przyjaciółmi. Chris jest bardzo szczery i dowcipny, jednocześnie publicznie deklarował się jako ateista i często żartował z religii. Jednak Ben widział w nim dużo więcej i nie wyobrażał sobie, że pozwoli swojemu przyjacielowi przeżyć życie bez Boga. Razem z Jennifer szukaliśmy sposobów, by wspierać Bena w jego relacji z Chrisem i służyć mu radą. Jeszcze raz przeczytaliśmy wspólnie zapis proroctwa, które zostało wygłoszone nad Benem w dniu jego błogosławieństwa. Rozmawialiśmy z nim o tym i postanowiliśmy się wspólnie modlić, by Bóg prowadził go w relacji z Chrisem.

Po jakimś czasie Chris zaczął przychodzić wraz z Benem na spotkanie grupy młodzieżowej, po których zostawał u nas na noc, by w niedzielę rano razem z nami pojechać na nabożeństwo. Ben podjął świadomy wybór – postawił relację z Chrisem ponad wszystko inne. Odrzucił nawet propozycję wakacyjnego stażu, bo to oznaczałoby, że musiałby spędzić całe lato poza domem. W końcu Chris zdecydował się pojechać na obóz z naszą grupą młodzieżową. Podczas poniedziałkowego wieczornego nabożeństwa ze łzami w oczach patrzyłem na Chrisa, gdy wychodził do przodu, odpowiadając na wezwanie do nawrócenia i oddania swojego serca Jezusowi. Gdy patrzyłem na Bena wznoszącego swoje ręce do Boga i na to puste miejsce pozostawione przez Chrisa, przypomniałem sobie te wszystkie wydarzenia ostatniego roku, może dwóch lat, kiedy Ben coraz bardziej otwierał swoje serce pełne miłości dla Chrisa. I usłyszałem głos Pana, który mówił: „Wiesz, nie ma większej miłości niż ta, gdy ktoś życie swoje oddaje za przyjaciół swoich".

I choć historia Chrisa jest mi na pewno najbliższa, to nie jest jedynym przykładem tego, że słowo prorocze wypowiedziane nad Benem podczas jego błogosławieństwa zaczyna wypełniać się w jego życiu. Nie zliczę tych wszystkich nastolatków o wątpliwej reputacji, których przyprowadza do domu po przedstawieniu czy przywozi na weekend. Często słyszę, jak siedząc ze znajomymi w salonie, angażuje się całym sobą w rozmowy na temat istnienia Boga i Jego miłości do ludzi. Prorocze słowo wypowiedziane nad Benem było potwierdzeniem Bożego powołania dla niego. Nam dało pokój i zapewnienie w tych wszystkich chwilach, gdy jako rodzice zamienialiśmy się w dostarczycieli pizzy i gdy obserwowaliśmy, jak nasza lodówka jest notorycznie pustoszona przez grupę wiecznie głodnych nastolatków, i gdy patrzyliśmy, jak charakter naszego syna odpowiada na wątpliwości ich serc.

Bóg mówiący do nas o naszych dzieciach to jednocześnie wspaniała i nieco przerażająca perspektywa – ale zdecydowanie uważam, że warto. Sam często się zastanawiałem, czy miałbym szanse uniknąć tych kilku zmarnowanych młodzieńczych lat, gdybym wcześniej doświadczył w swoim życiu błogosławieństwa, które płynie z tej wspaniałej służby.

Jako pastor włączyłem służbę proroczą do uroczystości błogosławienia dzieci i kontynuuję ją wystarczająco długo, by móc bez końca opowiadać niesamowite historie i świadectwa młodych mężczyzn i kobiet, którzy dostrzegają wyraźny związek pomiędzy słowem proroczym otrzymanym podczas błogosławieństwa, gdy byli maleńkimi dziećmi, a obecnym kierunkiem swojego życia.

Może zastanawiasz się teraz, w jaki sposób praktycznie zabrać się za włączanie służby proroczej w uroczyste błogosławieństwo dzieci w swoim kościele lub w swojej rodzinie. Zanim podzielę się tym, w jaki sposób to działa w naszym kościele, pozwól, że zachęcę cię do odkrywania z Bogiem tego, co najlepiej sprawdzi się w twoich warunkach. Gdy rodzina przychodzi do mnie z prośbą o błogosławieństwo swojego dziecka, wspólnie staramy się ustalić dogodny termin, kiedy większość rodziny będzie mogła uczestniczyć w niedzielnym nabożeństwie. (Niektórzy członkowie rodziny przyjeżdżają z daleka, by towarzyszyć bliskim w tym ważnym wydarzeniu). Proszę rodziców o podanie imienia dziecka i o jego zdjęcie, które mógłbym zatrzymać do dnia błogosławieństwa. Planuję też czas, kiedy będę mógł spoglądać na zdjęcie i modlić się o to dziecko i jego rodzinę. Proszę Pana, by objawił mi, o co powinienem się modlić i jakie słowa powinienem wypowiedzieć nad dzieckiem. Notuję wszystko, co usłyszę od Boga, i przekazuję do naszego biura, gdzie ktoś z pracowników kościoła przygotowuje pamiątkową kartę, którą wręczamy rodzicom. Na tej karcie zapisujemy otrzymane słowa proroctwa. Wielu rodziców oprawiało tę pamiątkę w ramki i wieszało w pokoju swojego dziecka, by w miarę jak rośnie, przypominać sobie wypowiedziane nad nim słowa.

W dzień błogosławieństwa, gdy trwa uwielbienie, zapraszam rodziców, by podeszli wraz z dzieckiem do przodu, a następnie:

✓ Zachęcam rodzinę, by zobowiązała się wychowywać dziecko w bojaźni Pana i według Jego napomnień.

✓ Wzywam całą wspólnotę, by jako duchowa rodzina zobowiązała się wspierać tych rodziców i to dziecko.

✓ Wypowiadam nad dzieckiem słowa prorocze, które otrzymałem.

✓ Wypowiadam modlitwę błogosławieństwa nad dzieckiem i całą rodziną.

✓ Nagrywamy całe wydarzenie i przekazujemy nagranie rodzinie, by mogła do niego wracać przez następne lata (wielu rodziców prosi swoich przyjaciół o zrobienie nagrania).

Zachęcam liderów, którzy są zaangażowani w tę wspaniałą służbę dla dzieci i ich rodzin, by zachowywali w pamięci niektóre ważne fragmenty proroczego błogosławieństwa. Często zastanawiałem się, czy kiedyś Pan odmówi mi słowa dla jakiegoś dziecka. Ale jak do tej pory, wydaje się, że Bóg upodobał sobie ten rodzaj służby tak bardzo jak ja. Czasami czuję się tak, jakby Bóg tylko czekał, aż poproszę Go o słowo błogosławieństwa dla tych maluchów. Jak widzicie na przykładzie świadectwa Bena, słowa błogosławieństwa są traktowane poważnie i mogą stanowić potężną zachętę dla dzieci i ich rodzin w ciągu całego życia.

Jeśli jesteś liderem zaangażowanym w błogosławieństwo dzieci w swoim kościele, będziesz musiał się temu poświęcić. Liderzy kościelni, zwłaszcza pastorzy, mają zwykle wypełnione po brzegi kalendarze i dlatego wielu z nich ulega pokusie, by bazować na sprawdzonych schematach i powtarzać w kółko te same rzeczy. Tak jest po prostu łatwiej. Takie podejście wydaje się też… uczciwe, bo pozwala traktować każdą rodzinę tak samo. Powody można by mnożyć. A dziś w Internecie można też znaleźć tyle gotowych kazań. W takiej ilości nagranych nabożeństw czy spisanych tekstów nietrudno znaleźć modlitwę czy słowo stosowne na uroczystość błogosławienia dziecka. Jeśli nachodzi cię pokusa, by użyć któregoś z takich gotowców, nie rób tego! Służba prorocza wymaga czasu na przygotowanie. Nie można zapożyczać słów proroczych od innych ludzi, albo zwyczajnie zmyślać, by zadowolić innych.

Jeśli zdecydujesz się włączyć element służby proroczej do uroczystego błogosławieństwa dzieci, to musisz przekazywać to, co usłyszysz od Boga na własne uszy. Każde dziecko jest wyjątkowe! Każde dziecko ma swoją własną drogę, którą prowadzi je Bóg. A jeśli sam nie usługujesz darem proroctwa, zastanów się, czy masz w swojej wspólnocie ludzi obdarzonych tym darem, którym mógłbyś powierzyć tę służbę. Poproś ich, żeby z tobą współpracowali. Ten wysiłek się opłaca.

Wychowywanie dziecka to monumentalne zadanie. Wierzę, że w twoim kościele jest wielu Samuelów i Benów, których rodzice błagają Boga o wskazówkę i zachętę. Słowo prorocze wypowiedziane nad dzieckiem może przynieść wiele tak bardzo potrzebnej siły, zachęty i wskazać kierunek dziecku i całej jego rodzinie.

17

PROROCTWO I AFIRMACJA NOWYCH CZŁONKÓW
Wayne Drain

Z tego powodu nie jest już dla nas ważne, kto kim jest jako człowiek.
2Kor 5:16

Gdy rozpoczynałem swoją służbę, czułem, że Duch Święty przynagla mnie, abym spróbował patrzeć na ludzi tak, jak patrzy na nich Bóg, a nie tak, jak oni sami siebie postrzegają. W porównaniu z tym, jak widzi nas Bóg, my sami często uważamy siebie za mało ważnych czy wartościowych. Jednak prawda jest taka, że Bóg kocha i ceni nas tak bardzo, że posłał swojego jedynego Syna, by za nas umarł, abyśmy dzięki temu mogli stać się Bożymi dziećmi. Bóg patrzy na nas jak na tych, którzy „są wspaniali" i „są jego rozkoszą" (Ps 16:3). W kościele, który prowadzę, staramy się poznawać ludzi takimi, jakimi są w Duchu, tak samo jak staramy się poznawać ich codzienne oblicze. By oddać w pełni to, co mam na myśli, chciałbym się z wami podzielić historią człowieka, który kilka lat temu został członkiem naszego kościoła.

Ten mężczyzna (nazwijmy go Bill) postanowił wziąć udział w naszym czterotygodniowym cyklu spotkań dla nowych osób, który nazwaliśmy „Poznaj nas". Podczas tych spotkań dzielimy się naszą historią, wizją, wartościami i staramy się pokrótce przedstawić, na czym polega przeżywanie życia wspólnie jako **kościół**. Chcemy przekazać nowym potencjalnym członkom wspólnoty wystarczającą dawkę informacji, by mogli podjąć świadomą i opartą na prowadzeniu Ducha Świętego decyzję o dołączeniu do kościoła. Zwykle podczas pierwszego spotkania prosimy nowe osoby o podstawowe informacje, takie jak: dane kontaktowe, status rodzinny, zainteresowania, informacje o poprzedniej wspólnocie. Jednak ja sam nigdy nie sięgam do tych notatek przed zakończeniem całego cyklu. Właśnie podczas jednego z takich pierwszych spotkań Bill napisał, że we wspólnocie, do której wcześniej uczęszczał, służył jako kierowca autobusu. I choć prowadzenie autobusu to zacna i ważna dziedzina służby, Bill postrzegał siebie jako **tylko** kierowcę, który przywoził do kościoła tych, którzy potrzebowali transportu. Jednak Bóg miał dla niego inne plany.

Ostatnie spotkanie w cyklu nazwaliśmy „Afirmacja", bo wierzymy, że kluczowym elementem każdej zdrowej relacji jest wzajemna afirmacja. Słowo „afirmować" może oznaczać: uznawać coś za dobre, potwierdzać, sankcjonować, utwierdzać. Celem takiego spotkania jest afirmowanie nowych członków kościoła. Starsi liderzy obdarzeni darem proroctwa modlą się o każdego z nich i wypowiadają słowa proroctwa. Wiele razy słyszałem od różnych osób, że to właśnie to ostatnie spotkanie przekonało ich, że podjęli dobrą decyzję, wybierając nasz kościół na swój dom.

Kiedy przyszedł czas modlitwy nad Billem, otrzymałem proroctwo, że będzie służył jako ewangelista i razem ze swoją żoną będą podróżować po całym świecie, głosząc ewangelię o Królestwie Bożym. W tamtym czasie Bill nie był jeszcze nawet żonaty, ale zwierzył mi się, że modlił się o żonę. Powiedział mi też, że w poprzedniej wspólnocie służył jako kierowca autobusu, bo nikt inny nie zgłosił się do tej pracy. Później wyjawił mi również, że od dawna marzył o tym, by podróżować w różne dalekie miejsca i głosić ewangelię.

Po tym spotkaniu Bill podjął konkretne kroki wiary, by rozwinąć swoją wiedzę biblijną i nauczyć się dzielić ewangelią. Szybko został skutecznym ewangelistą, który pozyskiwał wielu ludzi dla Chrystusa. Kilka lat później Bill ożenił się i razem z żoną zaczęli podróżować za granicę, dzieląc się dobrą nowiną o Jezusie. A ja jestem bardzo szczęśliwy z tego powodu, że oparliśmy się pokusie wepchnięcia Billa w ramy dobrze znanego mu zajęcia.

Widzicie więc, jak proroctwo i afirmacja mogą współpracować. Wiem, że nie wszystkie wspólnoty patrzą na tę współpracę w podobny sposób jak nasza. Jednak uważam, że mimo możliwych różnic, warto rozważyć i odkrywać sposoby wzajemnego wspierania i współpracy proroctwa i afirmacji. Na własne oczy widziałem wspaniałe rzeczy, które ten rodzaj służby wnosił w życie wielu ludzi.

Pozwólcie, że wyjaśnię, w jaki sposób w naszym kościele łączymy proroctwo z afirmacją. Nasz cykl spotkań „Poznaj nas" składa się zwykle z czterech cotygodniowych sesji:

✓ Tydzień 1 – Historia i wizja

✓ Tydzień 2 – Kluczowe wartości

✓ Tydzień 3 – Życie kościoła w pigułce

✓ Tydzień 4 – Afirmacja

W trzecim tygodniu cyklu, podczas zajęć dotyczących codziennego życia kościoła, wyjaśniamy, na czym będzie polegać ostatnie spotkanie – „Afirmacja", bo wiele osób nigdy wcześniej nie spotkało się z taką praktyką. Podczas takiego spotkania jeden z liderów wyjaśnia, czym jest i jak działa biblijne proroctwo. Zwykle śpiewamy jedną czy dwie pieśni uwielbienia i prosimy Pana, by pomógł nam „widzieć" tak, jak „On widzi". Potem prosimy każdą z obecnych osób o wyjście do przodu. Starsi kościoła oraz osoby obdarowane darem proroctwa modlą się i prorokują nad każdą osobą tak, jak prowadzi ich Pan. Zwykle jest to bardzo łagodne i zachęcające doświadczenie. Na zakończenie starsi kładą ręce na każdej z nowych osób, podczas gdy wszyscy pozostali modlą się. Potem pozostaje nam już tylko powitać nowych członków wspólnoty. Podczas najbliższego niedzielnego nabożeństwa publicznie witamy wszystkich, którzy właśnie ukończyli cykl spotkań „Poznaj nas" i zostali członkami naszego zgromadzenia. To bardzo zachęcające i budujące wydarzenie dla wszystkich obecnych.

Oto kilka wskazówek, z których korzystamy, organizując nasze spotkania afirmacji na zakończenie cyklu „Poznaj nas":

✓ **Spotkanie przygotowawcze**

1. Podczas spotkania w trzecim tygodniu cyklu wyjaśnij, czym jest spotkanie „Afirmacja". Upewnij się, że odpowiedziałeś na wszystkie pytania i wątpliwości.

2. Ustal dogodny czas na to ostatnie spotkanie i wyjaśnij wszystkim nowym osobom, dlaczego jest ono takie ważne.

3. Zaproś liderów i osoby obdarzone darem proroctwa.

4. Na kilka dni przed spotkaniem zadzwoń do wszystkich uczestników lub wyślij maila z przypomnieniem.

5. Wyślij liderom i osobom usługującym darem proroctwa listę z nazwiskami nowych osób i poproś ich, by modlili

się o nie przed spotkaniem. Poproś też, by potwierdzili swoją obecność.

6. Skonsultuj się z obsługą techniczną, by móc nagrać każde proroctwo wypowiadane do poszczególnych osób.

✓ **Porządek spotkania „Afirmacja"**

1. Pastor prowadzący cykl „Poznaj nas" wita wszystkich obecnych i w kilku zdaniach wyjaśnia, na czym polega biblijny dar proroctwa.

2. Zespół muzyczny prowadzi krótkie uwielbienie (jedna lub dwie piosenki).

3. Jeden z liderów modli się o namaszczenie Ducha Świętego dla tych, którzy będą się modlić i prorokować.

4. Pastor prowadzący spotkanie zaprasza poszczególne osoby i małżeństwa, by wyszły do przodu na modlitwę.

5. Zwykle dwóch do czterech liderów modli się i dzieli się słowem proroczym.

6. Jeden ze starszych modli się o błogosławieństwo dla nowych członków wspólnoty.

7. W najbliższą niedzielę nowi członkowie zostają przedstawieni całej wspólnocie.

✓ **Po spotkaniu**

1. Słowa prorocze zostają nagrane na płytę i przepisane przez pracowników kościoła lub wolontariuszy.

2. Każdy nowy członek i duszpasterze otrzymują kopię nagrania i spisany tekst proroctwa.

3. Umawiamy spotkanie, podczas którego każda osoba może porozmawiać z pastorem lub liderem o otrzymanym słowie. Rozmowa pomaga zrozumieć osobie przyjmującej proroctwo znaczenie słowa i znaleźć odpowiedzi na pytania, które mogły się przy tej okazji pojawić. Dzięki tym spotkaniom także pastor czy lider może lepiej poznać nowego członka wspólnoty i spojrzeć na niego oczami Ducha Świętego.

4. Pastor lub lider modli się z nową osobą.

Jako pastor nieraz doświadczyłem, że zaangażowanie służby proroczej w spotkania afirmacji jest niezwykle pomocne i stanowi ogromną zachętę zarówno dla nowych członków wspólnoty, jak i dla towarzyszących im pastorów i liderów. Dla mnie to chyba **najlepsza** droga do tego, by poznać ludzi takimi, jakimi naprawdę są, zobaczyć ich tak, jak widzi ich Bóg. Spotkanie z Billem nauczyło mnie tego, że często to, co ludzie **robią**, ma bardzo niewiele wspólnego z tym, kim są w oczach Boga. Cel i przeznaczenie, które Bóg ma dla swoich dzieci, jest **daleko** większe niż to, co jesteśmy sobie w stanie wyobrazić!

WYKAZ SKRÓTÓW KSIĄG BIBLIJNYCH

STARY TESTAMENT

1 Księga Mojżeszowa	1Mż
2 Księga Mojżeszowa	2Mż
3 Księga Mojżeszowa	3Mż
4 Księga Mojżeszowa	4Mż
5 Księga Mojżeszowa	5Mż
Księga Jozuego	Joz
Księga Sędziów	Sdz
Księga Rut	Rt
1 Księga Samuela	1Sm
2 Księga Samuela	2Sm
1 Księga Królewska	1Krl
2 Księga Królewska	2Krl
1 Księga Kronik	1Krn
2 Księga Kronik	2Krn
Księga Ezdrasza	Ezd
Księga Nehemiasza	Neh
Księga Estery	Est
Księga Joba	Job
Księga Psalmów	Ps
Przypowieści Salomona	Prz
Księga Kaznodz. Salomona	Kzn
Pieśń nad Pieśniami	PnP
Księga Izajasza	Iz
Księga Jeremiasza	Jr
Treny	Tr
Księga Ezechiela	Ez
Księga Daniela	Dn
Księga Ozeasza	Oz
Księga Joela	Jl
Księga Amosa	Am
Księga Abdiasza	Ab
Księga Jonasza	Jon
Księga Micheasza	Mi
Księga Nahuma	Na
Księga Habakuka	Ha
Księga Sofoniasza	So
Księga Aggeusza	Ag
Księga Zachariasza	Za
Księga Malachiasza	Ml

NOWY TESTAMENT

Ewangelia św. Mateusza	Mt
Ewangelia św. Marka	Mk
Ewangelia św. Łukasza	Łk
Ewangelia św. Jana	J
Dzieje Apostolskie	Dz
List św. Pawła do Rzymian	Rz
1 List św. Pawła do Koryntian	1Kor
2 List św. Pawła do Koryntian	2Kor
List św. Pawła do Galacjan	Ga
List św. Pawła do Efezjan	Ef
List św. Pawła do Filipian	Flp
List św. Pawła do Kolosan	Kol
1 List św. Pawła do Tesaloniczan	1Ts
2 List św. Pawła do Tesaloniczan	2Ts
1 List św. Pawła do Tymoteusza	1Tm
2 List św. Pawła do Tymoteusza	2Tm
List św. Pawła do Tytusa	Tt
List św. Pawła do Filemona	Flm
List do Hebrajczyków	Hbr
List św. Jakuba	Jk
1 List św. Piotra	1P
2 List św. Piotra	2P
1 List św. Jana	1J
2 List św. Jana	2J
3 List św. Jana	3J
List św. Judy	Jud
Objawienie św. Jana	Obj

PARTNER WYDANIA:

SPOŁECZNOŚĆ CHRZEŚCIJAŃSKA
P Ó Ł N O C

Bóg jakiego nie znałem – Robert Morris

KIM JEST DUCH ŚWIĘTY I CO DOKŁADNIE ROBI?

Dla wielu osób Duch Święty jest tajemniczy, wprawiający w zakłopotanie, a nawet kontrowersyjny. Dlaczego ta trzecia osoba Boga – ta, o której Jezus powiedział, że będzie ostatecznym źródłem prawdy i pocieszenia dla wierzących – jest źródłem takiego zamieszania?

W Bóg, jakiego nie znałem Robert Morris w wyraźny sposób tłumaczy, że głównym pragnieniem Ducha Świętego jest relacja z nami, w której jako zaufany przyjaciel może zachęcać nas i prowadzić. Ta wnikliwa i oparta na Biblii książka wykracza poza teologiczny żargon, religijną tradycję i kulturowe nieporozumienia oraz wyjaśnia te rzeczy, które Duch Święty obiecuje dokonać w twoim życiu:

• trwać w tobie • wprowadzić ciebie we wszelką prawdę • modlić się za ciebie

• nigdy nie opuścić ciebie • być twoim pomocnikiem • pocieszać ciebie

• pokazywać tobie rzeczy, które mają nadejść

Błogosławione Życie – Robert Morris

Ta książka może zmienić na lepsze twoje życie, gwarantując ci finansową wolność. Może jednak uczynić coś więcej, poprzez dokonanie zmian w każdej dziedzinie twojego życia – małżeńskiego, rodzinnego, w relacjach z innymi. Jeśli Bóg przemieni twoje serce, pozbawiając cię egoizmu, a zasiewając w jego miejsce hojność, to przemiana ta wpłynie znacząco na każdą dziedzinę twojego życia. Jeśli wszyscy spróbowalibyśmy zastosować praktyczne porady zawarte w książce Błogosławione życie, więcej kościołów i działań misyjnych mogłoby otrzymać wsparcie, a plon dla Królestwa Bożego byłby o wiele bardziej obfity.

Z humorem, pasją i wyrazistością Robert Morris odkrywa tajemnicę życia w błogosławieństwie zarówno pod względem duchowym, jak i finansowym.